文春文庫

竜馬がゆく

(二)

司馬遼太郎

文藝春秋

文春文庫

竜馬がゆく

(二)

司馬遼太郎

文藝春秋

目次

本書は一九七五年六月に刊行された文春文庫「竜馬がゆく」の新装版です。

竜馬がゆく

（二）

若者たち

　年が明けて、安政五年。竜馬は二十四歳になった。

　元旦は藩邸で迎え、陽が昇るとすぐ千葉道場へ行って貞吉先生に年賀をのべ、あとは重太郎と一緒に道場に出て、詰めかけてくる門人たちのあいさつを、師範代として受けた。

　門弟たちは一人々々進み出て、まず重太郎のほうに、

「若先生、おめでとうございます」

　つぎは竜馬に、

「坂本先生、ことしもよろしくお引立てねがいます」

　とあいさつしてゆく。

　午後になって、重太郎は竜馬をうながして自室に誘いこみ、

「ふたりきりで、祝おう」

と、妻のお八寸に酒の支度をさせた。

「重太郎さん、おめでとう」

竜馬は、杯を捧げて、軽く頭をさげた。このおめでとうは、年頭の賀辞のつもりではない。

今年早々から、千葉重太郎は、因州鳥取池田家の剣術指南役にまねかれることになったのである。

この千葉一族の者は、剣の名流として、水戸徳川家をはじめ諸藩にまねかれて扶持を受け、かたわら市中で道場を経営することが周作以来の例になっている。

むろんそれぞれ江戸屋敷詰めで、国もとへは行かない。重太郎もそうで、三日に一度、池田家の江戸屋敷に詰める。

「裃がにがてでね。それにあたしの言葉がこういう調子のものだから、どうも水が合わないよ。宮仕えは」

重太郎は、照れくさそうに笑ってこの話題から逃げながら、

「それよりも、竜さんはどうする」

といった。

「どうする、ちゅうと？　わしァ裃なんぞは着んぞ」

「そうだろう、あんたが裃を着ても似あわない。やはり、あれか」

「ふむ？」

「今年の秋、帰国するのか」

「そうなる」

藩で許されている江戸留学の期限が、この秋で切れるのである。

「なんとか、そこをだよ、うまく頼んで江戸滞留を延ばしてもらうわけにはいかないのかい」

「いくまいな」

藩法はきびしい。勝手自儘に期限を越して江戸にとどまれば、自動的に脱藩の重罪になるわけである。

「江戸も淋しくなるなあ」

重太郎は、江戸っ子らしい感傷家だ。

「いったい、国に帰って何をするつもりだ」

「考えてない」

竜馬も、憮然としている。

事実、何をするとも考えていない。実兄の権平は、城下のしかるべき場所に敷地を求めて道場でもひらかせるつもりらしいが、竜馬はいやだった。この若さで道場の先生におさまり、嫁をもらい、子を産んで、田舎剣客で一生をおわるなどは、どう考えても退屈であった。

そのころ、江戸の土佐藩邸は、鍛冶橋の本邸（上屋敷）のほかに、日比谷に中屋敷、築地、鮫洲（さめず）、巣鴨に下屋敷、深川の砂村にお鷹屋敷などがあって、それぞれ藩士が詰めている。

幕府に対する外国の圧迫がつよくなってくるにしたがい、諸藩とも、国もとの有為の若者をどんどん江戸に集めて、武技、学問をさせるようになった。

とくにこの傾向は、長州、土州の両藩につよい。

土佐藩の鍛冶橋藩邸などは、こういう青年がふえたために長屋を幾棟か増築したほどであった。

これらの連中が国もとを出るとき、父兄や郷党の先輩がこういうのだ。

——武市か、坂本のようになってもどって来い。

武市半平太
坂本竜馬

のふたりの名はすでに故郷の土佐ではすみずみにまでひびいていた。

とくに武市半平太は子供のころから神童のほまれが高かったから、郷党の大人たちは、よく出来る青年に対しては、

——半平太を見ならえ。

といい、鈍才の青年に対しては、

——よいか、あの本町筋一丁目のはなたれでさえ、千葉道場の塾頭にまでなれたのじ

や。自分を見棄(みす)てずに努めるんじゃぞ。

という。

武市は秀才の代表、竜馬は鈍才のあこがれというわけであった。

その武市は藩邸に常住し、しかも非常な世話好きだったから、自然、若い者から慕われ、いつのまにか、若い下級藩士のあいだに「武市党」というべきものが、暗黙のうちにできあがりつつある。

竜馬はちがう。

この男は、窮屈な藩邸住いがきらいで、ほとんど帰って来ない。

だから、せっかく国から出てきた青年たちも、この鈍才の神様の顔を知らない者が多かった。

正月の松がとれたある日、武市が桶町の千葉道場にやってきて、

「国もとからだいぶ新顔の連中がきている。四、五日、藩邸で暮らさんか。みな、あんたの顔をみたがっている」

といった。

竜馬は、ボサボサのびんを掻きながら、そいつはこまる、と笑った。

「なぜ、こまる。お前(まん)に会いたいという連中が多いぜ」

「わかっちょる、わかっちょる」

そういう連中にかぎって、子供のころ寝小便したとか、はな垂れだったとか、物覚え

がわるかったとか、そういう連中ばかりで、竜馬が馬鹿につける薬でももっているのかと思っているのだ。

「なるほど」

これには、武市も大笑いして、

「それァお前も難儀じゃ。お察しする。そんな眼で慕われてはのう。しかし、どうじゃ」

「まあ、しばらく藩邸から通ってもいいな」

その夕、藩邸へもどった。

若い連中は、武市の部屋で酒を用意して待っていた。

みな若い。

武市をのぞいては、二十四歳の竜馬が、齢がしらだった。

「坂本先生」

などという者もあった。世話役の若者が竜馬を案内して、武市の横の上席にすえた。

「なんだ、これァ座が高すぎるぞ」

と竜馬がいったが、みなが承知しない。見渡すと、ずらりと神妙な顔をならべている。

酒が座にまわりはじめると、一人々々杯を捧げてお流れを頂戴にくるのだ。

(おどろいたな)

竜馬はいちいち杯を与えながら、

（おれも年をとったものだ）

と思った。

十九のとし、江戸に出てきてから、五年になるのである。いつのまにか、藩邸の諸生どもの兄貴株になってしまった。

「竜馬」

と、横から武市半平太がいった。後世、戯曲で、月形半平太のモデルにされたこの男は酒をのんでも強い。

「今夜は酔おう」

「ふむ、武市さんも酔え」

「おお、潰れるまで飲むさ」

唄が出た。

土佐諸生は、唄といえば例によってヨサコイ節で、おなじ唄をくりかえしくりかえし唄うのである。

　土佐の高知の
　　はりまや橋で
　　　坊さんかんざし買うをみた

「ちょんちょん」

竜馬も箸で茶わんをたたきながら唄う。それぞれ自作のヨサコイを唄うのがこういう酒席の慣例だから、竜馬も即興の唄をうたった。

花のお江戸の

両国橋へ

按摩さんが眼鏡を買いにきた

竜馬がのちのちまで自慢した自作の歌詞だが、あまりうまくない。

そのうち、席のすみで、みるからに眼のするどい精悍な顔つきの男が立った。いきなり大剣を抜いて、剣舞本能寺を舞いはじめたのである。かつ吟じ、かつ舞い、太刀さばき身ごなしがじつにみごとだった。年のころをみると、竜馬よりも二つ三つ下らしい。

「あれァ、たれじゃ」

と武市にきくと、

「知らなんだか。安芸郡北川郷の大庄屋のせがれで、やはり長曾我部武士の子孫じゃ。名は、中岡慎太郎という」

「ほう、あの男が」

名だけはきいている。剃刀の頭脳と、きびきびした実行力をもっているという。

「いい面構えだ」

「ふむ、戦国の世にうまれておれば、あれも天下をとる男じゃ」

剣舞がおわって席へもどろうとする中岡慎太郎を、武市が手をあげてまねいた。

「中岡君、こっちへ来ないか」

「なぜです」

興ざめるほど頑固な顔を、中岡はした。竜馬は、ふと考えてみると、一座でこの男だけは、自分のところへ杯をもって来ない。

「なぜって、君」

さすがに武市も不快な表情で、

「ただ来給え、といっただけだよ」

「武市先生は、理由もなく人をお呼びになるのですか」

「ではわしから訊くが、君は、理由がなければ来ないのかい。そこから、わずか三歩の場所だぜ」

「たとえ三歩でも、中岡慎太郎は理由なく身を動かしません」

(これァ、化物だ)

と竜馬はおもった。理屈っぽい、というものではない。理屈が人の皮を着て歩いているような男である。

武市もてあまし気味で、

「いや、軽い理由はある」

「おっしゃっていただきます」

「ここに、坂本君がいる。君を坂本君に紹介したい」

「御無用にねがいます」

これには、武市も竜馬もおどろいた。喧嘩腰ではないか。

「なぜだ」

「私は、剣術使いには興味はありませんよ」

「中岡君」

武市は、刀をひきよせた。

「先輩を侮辱すると、そのぶんにおかぬぞ。第一私も剣術使いだ」

「武市先生はちがいます。剣を天下の事に生かそうとなさっています。だからこそ敬慕しています。が、先生のお隣りにいらっしゃる方は単なる剣客で、いや失礼、事実ですから。せっかく腰間に剣を帯びながらいま天下がどうなっているか、われわれ若い者は何にむかって命を捧ぐべきか、お考えになっているような御様子はない。そういう方とは、慎太郎、お近づきねがう気がしません」

（おどろいたなあ）

竜馬は、正直、眼をまるくしている。

「中岡君」

武市は、刀をさげて立ちあがった。

「表へ出ろ。わしは自分の友人を侮辱されてだまっていられない」

「いや、拙者が」

とびあがるようにして立ったのは、例の岡田以蔵である。足軽の身分だからさきほどから末座で小さくなっていたのだが、竜馬を侮辱されてたまらなくなったのだろう。さらにこの男は剣は武市の弟子である。師匠の手をわずらわすより、自分がやる、と思ったのだろう。

「拙者がやります。中岡さん、表へ出ろ」

鯉口（こいぐち）を切っている。さすがに後年、人斬り以蔵といわれたほどの男だ。

「いやこれは」

底ぬけに明るい声を出したのは、当の被害者の竜馬だった。

「参った」

と、竜馬は、素直に頭をさげた。

「中岡君、お前（まん）のいうとおりじゃ。わしァ、学がないために何も知っちょらせん。天下がどうなっちょるか、その天下にむかって、お前のようにどう咆えたくったらよいか、何も知らん。わずかに知っちょるのは、北辰一刀流の組太刀ぐらいのもんじゃ」

「……」

一座が、シンとなっている。

竜馬が中岡の無礼をとがめて一刀で斬りすてるかと緊張していたのだが、意外にも本気であやまっているのである。

「坂本さん」

これには、中岡のほうがうろたえた。

「わしァ、こういう性分です。近頃、国の行く末を案じていると、夜もねむれん。それじゃのにわが土佐藩の若者は、せっかく江戸に出てきても遊興にうつつをぬかし、端唄の一つも覚えて得意になり、多少実直体な者は、剣術一本で、世を憂えようともせぬ。つい、いらいらして、今夜のように腹中に酒が入ると、血が鼻の奥までツンとのぼってきて、座にいたたまれなくなります」

すこし、酒乱の気があるらしい。

「いや、お前はえらい」

竜馬は、本気である。

「土佐安芸郡北川郷の山里の庄屋どんの家にうまれながら、胆の上に天下を載せちょる。酒に酔うても載せちょる。わしもお前の心掛けに学ばにゃならんが、なにぶん子供のときからの鈍根じゃ。ボチボチやる。世がわしを必要とするまでボチボチやる。それまでは剣術ばかりをやっていても、怒らんでこらえてつかァされ」

「いや、酔いがさめました」

中岡は、竜馬の前にすわった。

「暴言、おわびします」

「ほう、あれが暴言か」

竜馬は、あくまで無邪気である。

「ほんとに暴言か」

「はい」

「これァ、おどろいた。わしは、お前が真剣に忠告してくれたものと思うた。それが暴言じゃったのか」

「しかし」

「いや、驚いた。自分で暴言じゃとみとめたからこそ、あやまっているのじゃろう。武士が吐く言葉には、一語といえども命を賭けるべきじゃ。それをすぐ暴言じゃと自認したり、あやまったりするのは、わしのような剣術つかいの性にあわん」

「では、あやまりません」

「それでいい」

竜馬は杯を置いて、

「お前もいいたいことを言って気が晴れたじゃろう。かわりに、わしにも気を晴らさせてくれるか」

「どうぞ」

竜馬はいきなり中岡の胸ぐらをつかんだ。

中岡はふりはなそうとするが、とほうもない馬鹿力だから、体が動かない。

「御免」

竜馬はコブシをかためるなり、力まかせに中岡の頬げたをなぐりつけた。

「あっ」

「気が晴れた。中岡君、飲もう」

その後、武市半平太は、あの夜の竜馬のことが、頭にこびりついて離れない。

（いいやつなんだがなあ）

そう思う。

が、いまの言葉でいうと、竜馬には世界観がないのである。天下国家がどうなろうと、かまわずに道場ぼこりにまみれている。

（あのままでは、一介の剣客になるしか、しかたのない男だ）

あの夜の翌日、中岡慎太郎が武市の部屋にやってきて、

「武市先生」

と、両手をついた。中岡は桃井春蔵道場で剣を学んでいる。桃井の塾頭である武市は、中岡にとって「先生」であるわけだ。

「昨夜は、酔ったまぎれとはいえ、坂本さんに無礼を働き、申しわけありません」

「おれに謝っても仕方がないが、あの酔態はまずかったな。気をつけることだ」

「はい」

武市は、長州における吉田松陰のようなもので、教育癖がある。

「しかし、あの一件については、あのとき坂本があんたをなぐったから、ちゃんとケリはついている」

「あの馬鹿力にはおどろきましたな」

「いや、おれがおどろいたのは」

竜馬がニコニコして顔色もかえずに、中岡の頬げたをなぐったことである。なぐったあとも溶けるような温顔で、

――飲もう。

といった。常人ではない。ちょっと凄味のさすような男である。

さらに武市が見ていて驚いたのは、なぐられながら中岡が、つい竜馬のペースに巻きこまれて、

――飲みましょう。

と杯をあげたことだ。中岡という男は理論家のくせに短気者で、しかも噴き出るような激情家である。それが、顔のまがるほど拳固を見舞われたうえに、猫のようにおとなしくなって、結構、あれから、唄の一つ二つはうたった。竜馬には、人を溶かす独特のなにかがあるのかもしれない。だからこそ武市は、

（あれだけの男が）

と思うのだ。

「惜しいものだな」

と、武市は、中岡にもいった。

中岡は、「そうです」とうなずき、

「私は、たしかに無礼を働きましたが、あのとき坂本さんに言った私の見方は、いまもかわりません」

「どうだ、やつを仕込むか」

武市の教育癖である。

「あれだけの男を仕込めば、土佐藩だけでなく、天下の大物になるぞ。いや、千載青史(せいざいせいし)に残るほどの英傑になるかもしれない」

「やりましょう。坂本さんを仕込まなければ、私はなぐられ損ということになる」

中岡慎太郎という男は、幕末、土佐藩を脱藩して長州に走り、各地に奔走してついに京都にあらわれ、洛中で横行する諸藩の脱藩浪士をいまの京都大学のあたりに屯集させて陸援隊を組織し、その隊長となって天下の風雲にのぞんだ男である。

晩熟(おくて)、ということばがある。

この竜馬を、そう言うしか仕方がない。

正直なところ、作者は、安政諸流試合からあと、竜馬が日常なにを考えていたか、集められるかぎりの資料にあたり、想像もしてみたが、ついにわからない。その点、かれの年長の友人武市半平太、年下の友人中岡慎太郎も同然である。

（一体、なにを考えちょるか）

武市のような鋭敏な男にとっては、竜馬の薄ぼんやりは、なぞだったにちがいない。

なにしろ、その当時の日本の政界、論壇は開国と攘夷、幕府と朝廷、将軍継嗣（よつぎ）問題などで、割れるような騒ぎだった。

坂本竜馬とともに維新の元勲といわれている西郷隆盛は、そのあるじ薩摩侯島津斉彬（なりあきら）の特命をおび、幕府の重大な政治事件だった将軍継嗣問題をめぐって江戸と京ですでに活躍中であり、桂小五郎（木戸孝允（たかよし））は海防問題に興味をもち、主君の毛利侯に献策したり、洋式砲術を学んだりしている。この三人は維新史の立役者なのだが、竜馬だけはまだ芝居の稽古もしていないのである。それどころか、自分がそういう役者になるとは夢にも思っていなかった。

右の三人は維新史の「役者」のほうだが、この壮大な維新劇の脚本家、宣伝部員たちは、すでに出そろっていた。

その最大のひとりは、長州の吉田松陰だろう。

かれは、安政元年三月、下田港から漕ぎだして小舟を米艦の舷側につけ、国禁の海外渡航をくわだてて米艦のほうから断わられ（幕府と外交上の紛争をおこすことを怖れて）、そのため江戸伝馬町（てんまちょう）の獄に入れられた。このとき二十五歳の松陰の渡航事件は、幕府にとっては単なる犯罪にすぎなかったが、ペリー艦隊の士官たちにとってはおどろきであったにちがいない。

ペリーの「日本遠征記」（一八五六年合衆国政府印刷局から公刊。ペリー提督および艦隊士官たちの覚書、日記の類を、ペリーの監修のもとに、フランシス・L・ホークスが編集した厖大な記録）には、つぎのようにかかれている。

——この二人の事件は、

と、ペリーたちはいう。二人とはむろん松陰とその弟子金子重輔のことである。

——われわれを非常に感激させた。教育のある日本人ふたりが生命をかえりみず、国の法律を破ってまでも、その知識を広くしようとするはげしい心を示したからである。日本人はまことに学問好きな研究心のつよい国民である（中略）。この計画ほど日本人がいかにあたらしいことを好む心が強いかをあらわしたものはない。日本人のこの心は、きびしい法律と監視（幕府の）のためにおさえられているが、日本の将来に実に想像のできない世界をひらくものではなかろうか。

松陰は、その後囚人として国もとの長州の獄におくられ、やがて生家杉家で自宅檻禁の身となり、すでに三年目（この安政五年からかぞえて）である。

その間、松陰が江戸で刑死（この年の翌安政六年）するまでわずか三年の期間、松下村塾で子弟を教え、このなかから、桂小五郎、高杉晋作、久坂玄瑞、伊藤博文、山県有朋、品川弥二郎、吉田稔麿、山田顕義、前原一誠、益田弾正、野村靖、入江杉蔵など、維新における暴走派の諸才能がぞくぞくと出た。

時代は動いている。

が、二十四歳の竜馬だけは動いていない、といえた。

この期間、竜馬は剣術に夢中になっていた。じつのところ、剣術がおもしろくてたまらない。剣がわかりはじめた盛りの時期、といっていいだろう。

(天下国家を論ずるなどは、桂とか、武市のような才物にまかせておくんじゃ)

そう思っている。いや、はっきりそう決めたわけではないが、そう思いこまざるをえない劣等感が、竜馬にはある。

自分は頭がわるい、というのは竜馬のながい迷信である。

これは子供のころの塾の先生によって植えつけられた。城下の大膳町の私塾楠山庄助先生が竜馬の物覚えのわるさにおどろき、とてもあずかることができない、と教授をことわってきたほどであった。このとき少年の心に突きささった劣等感は、容易にぬけるものではない。

が、竜馬は剣術さえしていれば、この劣等感からのがれられた。この世界だけは竜馬の独擅場で、桂も武市も、竜馬のこの世界に来ればころころ負かされるのである。竜馬がこの世界に夢中になるのも、むりのないことであった。

しかし、世は動いている。

竜馬も、知っている。

知っているどころか、竜馬の桶町千葉の道場など、若い論客の巣窟だった。

江戸には、若い血気の武士の大巣窟が三つある。

神田お玉ケ池・桶町の千葉道場（塾頭坂本竜馬）

麹町の神道無念流の斎藤弥九郎道場（塾頭桂小五郎）

京橋アサリ河岸の桃井春蔵道場（塾頭武市半平太）

この三道場はそれぞれ千数百人ずつの若い剣術諸生を収容している。今日でいえば、さしずめ、東京大学、早稲田大学、慶応義塾大学というところだろうか。

かれらは、諸藩の江戸屋敷や、遠くは九州、奥州の遠国の城下町からはるばる出てきた者で、もともと血の気が多い。

剣を学ぶ一方、たがいに国事を語りあい、書物を交換しあい、意見を練りあって、入塾一年もたてば、ひとかどの志士になってしまう。

維新の志士（佐幕派のたとえば新選組隊士などもふくめて）の多くは、この三大道場から出ているし、もしこの三大道場がなければ日本史も相当ちがったものになっているだろう。

かれらの思想は、多くは剣術仲間からきいた耳学問であり、たれを思想の師匠とするよりも、むしろ友人仲間で切磋琢磨しあった。

ところが。——

竜馬は、超然としている。

超然としているというより、

(ああいう小むずかしい話はかなわん)

と、独り避けている風であった。おれは阿呆じゃ、といううまれつきの劣等感が、そうさせたにちがいない。

それを武市が「教育」するという。

安政五年四月末のある日、桶町千葉道場に武市半平太が、弟子の岡田以蔵をつれて訪ねてきた。

竜馬を「教育」するためである。

「なに、武市が?」

竜馬はすぐ稽古をやめた。武市という男は竜馬にとって苦手の論客だが、そのくせ一月も会わないと、さびしくなる。

さっそく道場の控えの間に通し、

「なんだ、用は」

ときいた。武市はすかさず、

「天下の一大異変が起こったことを知っちょるかや」

竜馬は泰然と、

「知らん」

という。そこへ人のいい重太郎が入ってきて、これは武市先生、といった。せっかくの御光来に酒も出さぬとは竜さんも気がきかない、酒、酒、お八寸にそう言いつけよう、などと騒ぐものだから、竜馬も閉口して、

「重さん、まだ宵の口だ。いくら上戸が雁首をそろえてやってきたといっても、時分がよくない。それに、この武市先生、きょうは、天下の大異変をもってこられたようだから神妙にきいてみよう」

「そうかそうか」

千葉重太郎は、にこにこしてすわった。

武市は鄭重に千葉に一礼し、

「彦根侯井伊掃部頭（直弼）どのが、大老になられた」

竜馬は、おどろかない。家格としては当然ではないか。

井伊家三十五万石は、徳川家でも、譜代筆頭の家格で、代々この家系から大老（老中の代表者で、幕府内閣のなかでは総理大臣の位置にあたる）を出す慣例になっている。

直弼は、性傲岸不屈。

しかも、「無識にして強暴」という評判がすでに識者のあいだにあった。

もともと運のいい人物で、父の妾腹の子であり、しかも十四男である。若いころから城内に小屋をもらい、捨扶持二百石で、いわば藩では飼いごろしの身であった。

それがつぎつぎと兄が死んだために、中年で予測もしない藩主の位置についた。

つぎは、幕府に入る運動をし、このため黄金三十枚を老中松平伊賀守に贈り、松平は贈賄(ぞうわい)こそ拒絶したが頼られたうれしさに好意をもち、かれを江戸の政界にむかえる工作をした。

武市は、そういう。

竜馬はおどろかざるをえない。

（そんなことまで知っているのか）

じつは知っているはずだ。

幕閣に対する閣外の最大の勢いは、御三家の筆頭水戸家の斉昭(なりあき)である。この家は、水戸光圀(みつくに)（俗に水戸黄門）以来、三百諸侯にはめずらしくイデオロギーの家系である。つまり、尊王派の本山のような家であった。しかも斉昭は、強引酷烈な性格で、幕閣に対していちいち口を出す。

この斉昭の子分というべき大名が三人あり、その筆頭は、越前侯松平慶永(よしなが)（のちの春嶽）、薩摩侯島津斉彬、それと、竜馬らの藩主の山内豊信(とよしげ)である。

それぞれ、秘書役的な名臣がいる。越前は橋本左内(さない)、中根雪江、薩摩は西郷隆盛、土佐は無し。

武市は、その越前侯の秘書役橋本左内から逐一(ちくいち)政界の消息をきいているのである。

「さて」

と、武市は、鉄扇をひざに立てた。

「世の動きのことを話そう」

「ははあ」

竜馬は、くすぐったそうに顔をなでている。武市が自分を教育しにきたな、と察しているのだ。押しかけ師匠というのもめずらしい。

「先年、ペリーがきたな」

ずいぶん前のことだ。竜馬がはじめて江戸にやってきた嘉永六年のことだから、五年前である。

あのとき、ペリーは幕府を開国へ踏みきらせるために、艦隊の示威のもとに、意識的な威嚇外交をおこなった。

そのため、たしかに幕府の腰は砕けたが、水戸学に影響された野の志士は憤激した。日本六十余州に攘夷論がおこったのは、このときからである。

その後、ロシアがきた。

当時ロシアは「赤蝦夷」とよばれ、かつて寛政年間（竜馬のこの時期から六十余年のむかし）の先覚者林子平が「赤蝦夷には在来、南へ勢力をのばそうとする意思があり、将来、日本にとっておそるべき禍根になる」と公表し、妖言を言いふらすものとして罰せられたことがある。

そのロシアが、皇帝ニコライ一世の国書を捧持させて、国使プチャーチンをわが長崎に派遣してきたのは、ペリーが来てほどもない嘉永六年七月である。

ロシアは、日本の幕府が米国の威嚇でふるえあがっていることを知っていたから、

「ロシアと通商をひらけ。そうすれば日本は商業上の利益だけでなく、軍事上の利益もある。もしアメリカが日本を侵略すれば、われわれは、艦隊で陸兵を送って戦ってやる」

といった。

プチャーチンの態度は、艦砲でおどしたペリーとはがらりとかわっている。かれは幕府の出先外交官である長崎奉行を懐柔し、奉行所のおもな役人全員を軍艦に招待して、

——おもしろいものをみせて進ぜる。

と、幻燈をみせた。幻燈は、一齣ずつ繰ってゆくと映像がゆるゆると動きだす仕掛けのもので、最初は象が出た。

象が動きはじめたから、一同びっくりするうちに、かわって妖艶なロシア美人が映り、それがしきりと舞踏をする。そこまではよかったが、その幻燈の美人が一枚ずつ衣服をぬいでゆき、やがて素裸になった。さらに一人の男があらわれ、それも素裸になって、閨房の秘戯を演じはじめた。

これには奉行所役人も恐縮頓首し、江戸表への報告も、

——ロシアはアメリカとちがってたいそう平和的である。

と付言し、このため幕閣や江戸の論壇は一時、親露論が圧倒的につよかった。とくに幕閣のなかでも俊才を集める海防掛（外務省）などは、ほとんどが、

——ロシアから軍艦、大砲を提供してもらって、アメリカの強圧をはねのければいい。

という意見をもった。

（もっともこの当時、ロシアはクリミア戦争におけるセバストポール要塞の攻防戦で、敗色が濃かったから、それどころではなかった）。


「そうこうするうちに、墨夷（アメリカ）から海を渡ってハリスちゅう男がきた」

と、武市がいう。

武市半平太は、詩文に巧みなだけに、話もうまい。うまいが、このハリスの一件も武市自身の口を借りず、かわりに筆者が語ろう（というのは武市は水戸学派の影響を受けて、話がやや公正を逸するからだ）。

ペリーの強圧後、幕府は、米、英、露、蘭の四カ国と条約を締結したが、これはあくまで「和親」の条約で、「通商」条約ではなかった。諸国はこれを不満とした。

そこへ、安政三年七月、米国人タウンゼント・ハリスが、駐日総領事として下田港に入り、下田奉行に対し、

——自分は合衆国大統領の代官である。大統領は、日本と通商条約を結びたい。その旨の国書をもってきた。ぜひ、江戸の将軍（たいくん）に謁見して直接それを渡したい。将軍以外の

者には渡さない。

ペリー以来の伝統的な対日強硬態度である。

幕府は、大騒ぎとなった。幕府としては外国人を江戸に入れるわけにはいかないし、まして、将軍に会わせるなどは論外である。

八方陣弁してハリスをなだめたが、この貿易商人あがりの外交官は頑としてきかず、

――もし日本人がわが政府の要求を容れない場合、大統領は非常手段をもってその趣旨を貫く用意（砲火の用意）がある。

といった。単におどしではなく、事実去年の九月、英国は清国を攻めて広東(カントン)を焼きはらっている。

幕閣もそれを知っていたから、ついに屈し（この態度が国内の攘夷論の火の手をいよいよ熾(さか)んにした）、まず下田条約を結び、さらに江戸出府を認め、ついには将軍謁見もみとめた。

が、なお幕府は、攘夷的世論のために開国（通商条約締結）に踏みきれなかったが、ついにハリスの強談(ごうだん)に屈し、昨年（安政四年）十一月から通商条約の逐条協議を開始し、ついに正月十二日、ぜんぶ議定をおわった。

残るは、勅許である。

京の天皇の許可を得て、はじめてこの条約が成立する。

ところが、この朝廷というのが大の難物だった。時の天子（孝明天皇）は、病的なほ

ど外国恐怖症におわした。

その上、それをとりまく公卿は、三百年政治に触れていないから、政治感覚も、日本の国力も、海外知識もない。さらにその公卿の周囲には、諸国からのぼってきた浪人、儒者など、極端な攘夷論者がとりまいていて、事につけて公卿を教育している。

江戸政界は開国にふみきったとはいえ、京都論壇は、徹底的な鎖国攘夷論だった。とうてい、幕府が要請する「勅許」を受け入れるふんいきではない。

当然、江戸と京都は対立し、もし幕府がハリスとの約束を守ろうとすれば、まず京都に出没する浪人論客に大弾圧を加え、公卿に戦慄をあたえねばならない（幕末維新の血なまぐさい風雲は、ここから出発するのだ）。

「ほう。おもしろい」

竜馬は感心したが、かといってまだ寄席で講釈をきいているような顔つきだった。

安政五年も、八月になった。

あと一月もすれば、竜馬の留学期限が切れ江戸を発たねばならない。一人の剣客が、江戸から消えてしまうのである。

——惜しい。

千葉重太郎は、竜馬の顔をみては毎度それをいうのだが、妹のさな子も、日が近づくにつれて、憂鬱になっている。

ちかごろは、道場にもあまり出ず、部屋に引きこもりがちだった。

重太郎は妹の様子を察して憐れにおもったが、かといって竜馬に、

——もらえ。

などと押しつけるわけにはいかない。

重太郎の察するところ、竜馬もさな子が嫌いではなさそうな素振りである。しかし何か別に期するところがあるらしく、さな子のはなしを持ちかけると、いつも竜馬は逃げてしまう。

(男女の縁というのは、むずかしいものだ)

このころの人は、縁ということで、何事も片づける。あきらめたり、よろこんだりするのも、ふしぎの縁があればこそだ。竜馬とさな子は要するにそのふしぎの縁がないのだろう。

話はかわるが、武市半平太も、自分の料簡と竜馬の料簡(いまのところ、もやもやしていて形をなしていないが)とは、ついに縁を成さぬのか、となかばあきらめかけていた。

正月以来、武市は、月に二、三度は、桶町千葉道場にやってきて、時事を説き、竜馬を「教育」しているのだが、依然として竜馬は感化されない。

薄ぼんやりしている。

きょうも武市がきて、

　——さて、ハリスは。

と時事講義のつづきを話しはじめたが、竜馬がいきなり大あくびを洩らした。これには、さすが慍りを表情にあらわさぬ武市も不快になって、

（こいつは、ついに木偶の坊か）

　とおもった。

「どうしたんじゃ、ハリスは」

　竜馬は、両脚をなげだし、両掌をうしろについて、ちょうど尻餅をついたような恰好になっている。

　竜馬のいつもの姿勢だ。謹直な武市は、この姿勢からして、気に入らない。これが、教えを受けている後進の態度だろうか。

（腹のたつやつだ）

　とは思いつつ、そこは武市のやむにやまれぬ教育癖で、つい講義をしてしまう。

「この条約に関し、京の勅許がおりぬために幕閣はハリスと京都の板バサミになり、青息吐息をついた」

　ハリスがついに業を煮やし、

　——われわれは、江戸政府が日本の正式政府だと思っていたが、どうもちがうらしい。江戸政府で右調印ができぬとあれば、われわれは、調印のできる政府へ行ってかけあいます。それが京都政府でありますな。

といった。

これには幕府はあわてた。そういうことをしてもらっては、江戸政府は瞬時に消滅し、外国の側からみれば京都朝廷が日本の代表政府として認証されてしまう。

安政五年四月、井伊直弼、大老に就任。

井伊は、断行しようとした。

勅許を経ずに調印することを。

かくて、尊王攘夷論が、燎原(りょうげん)の火のようにもえあがることになる。

竜馬が江戸を去るまで、あと、ひと月である。

それをもって、竜馬の青春第一期は、おわることになるだろう。

さすがの竜馬も、さびしい。

ちかごろになって、武市半平太までが、

「おい、国もとの権平殿にたのんで、藩庁へ奔走してもらえ。江戸滞留を延期するのだ。天下は動いている。将来、物の役に立とうと思えば、江戸だぞ。国もとでくすぶっていて何になる」

と、すすめるようになった。

今日もそうだ。

不意に、桶町千葉道場に、桂小五郎が訪ねてきてくれたのである。

「坂本君、帰るそうですな」

すでに斎藤道場の桂の耳に入っているくらいだから、竜馬の帰国のうわさは、若い剣客連中のあいだではだいぶ評判らしい。

「帰ります。やむをえまい」

竜馬は、ちょっと淋しそうな眼をした。この連中に別れて独り草深い土佐へ帰るかと思うと、さすがに心中、おだやかではなかった。が、桂は、

「帰りなさんな」

とは、いってくれない。他藩だから、そういう余計な差し出口はたたけない。

ただ、しきりと自分におこった変事を語りはじめた。

「僕のほうは」

と、桂はちかごろ流行のことばをつかった。

「どうも事情がちがってきた」

「延期ねがいが、聴き届けられたのか」

「いや、そうじゃない」

桂と竜馬とは、藩こそちがえ、おなじ私費留学の剣術諸生なのである。

しかし、藩における身分がちがう。

桂は、国もとでは上士の家柄なのだ。自然、江戸の長州屋敷で起居していても、藩公や家老にさまざまな意見具申ができるし、そのため、すでにかれの卓越した才器は、藩

の首脳の認めるところとなっていた。

とは桂は誇らないが、言外にそのうれしさがあふれている。

——だから。

「実は、こんど、擢（ぬき）んでられて、藩の大検使という役についた」

桂家は、家禄こそ国もとで頂戴しているが、役はなかった。小普請（こぶしん）で、しかも当主は江戸留学の諸生である。そういう立場から、いきなり大検使という役につくなどは、よほどの抜擢とみていい。

「それァ、よかった。おめでとう」

「いや、これからだよ。わが藩だけでなく日本国中の藩は、まだ戦国時代の体制のままで、このままでは、国難に立ちむかえない。第一に藩制改革をしなければならぬ」

「ははあ」

竜馬の一郷士の身分からすれば、夢のような気焔である。竜馬などは、藩制改革どころか、藩主に口をきける身分ではない。

「それに」

桂はうれしそうにいった。

「僕もこの秋は、帰国せねばならぬだろう」

「ははあ、どういうわけだ」

きいてみると、桂の場合は、意外な理由である。

桂の場合、帰国の理由は、藩政府がぜひ桂に藩制改革の意見をききたい、といっているほかに、

「実はな」

と、赤い顔をした。

「嫁をもらう」

「それァ、よかった。われわれも、そろそろそういう年ごろですな」

「坂本君も、早くもらいなさい」

「ありがとう。しかし、これですよ」

下あごに手をあてた。——食わせられん、という意味だろう。

「わしァ、郷士の次男坊だからな。貰っても禄ちゅうもんがない。嫁どんの干物(ひもの)をつくるようなもんじゃ」

「ほう、そんなものですか」

桂という男は、諧謔(ユーモア)が通じない。本当に竜馬の嫁は干物になると思ったらしい。

「どんな嫁殿です」

竜馬は、眼をほそめてたずねた。人並に嫁殿へのあこがれはあるのだ。

「いや、同藩の宍戸(しじど)平五郎の娘で富子というのだが、じつはまだみたことがない」

「美人ですか」

「そういう評判です」

「ええノウ」

つい国ことばが出た。肚の底から桂のかがやかしい前途を祝福したい思いだった。が、竜馬は、二十四とはいえ、男だから幼さは残っている。なんとなく、うらやましくもある。

——おれには、嫁もない。桂のような門地もない。国にもどっても継ぐべき家もない。あるのは北辰一刀流の剣のみか。

桂を送りだしたあと、道場にもどって面籠手をつけるや、すさまじい稽古をはじめた。

——孤剣、何に頼るべき。

この日の竜馬は、そういう心境だった。

日が、だんだんすぎた。

九月にちかくなってから、ある夕、竜馬が自室でめずらしく本を読んでいると、さな子が入ってきた。

「これは、これは」

師匠の娘だからどうも竜馬にとってさな子は気づまりなのだが、顔には出さない。

自分の敷いていた座ぶとんを裏返してさな子にあたえ、

「なんの御用です」

「めずらしく御本をお読みでございますね。日本外史？　それとも中朝事実？」

「いや、おはずかしい」

竜馬は頭をかき、

「東海道中膝栗毛です」

「まあ」

さな子は、あきれている。

「そのような御本をお読みになってお笑い遊ばしていると、お馬鹿さんになりましてよ」

「左様ですかな。しかし今度の帰国では東海道を、宿場、城下で他流試合をしつつゆっくりくだるつもりでおりますから、これを読んでいます。ここには、宿賃から、宿場々々の気風、名物、馬の傭いかた、すべて書いちょりますから、便利です」

（のんきなひと。……）

さな子は、そう思った。

すこしでも血の気のあるいまどきの若い武士は、日本外史を読んだり、江戸の碩学をたずねて物の理を解明したり、尊王の心を練ったりしている。いわば、それが流行なのだ。

ところが、この若者は、愚にもつかぬ戯作者が筆を弄した滑稽本などを読んで、げらげら、独り笑いをしている。

（一体、えらいのかしら、馬鹿なのかしら）

が、竜馬にすればこれはちゃんと理由のあることで、せっかくの道中を充実したものにしようと思えば、まず、道中文を読むことなのである。滑稽なだけでなく、実利になる。

「坂本さま」

「はん？」

竜馬は眼をあげた。

「さな子の」

さな子はすこし頰を染めながら、

「お餞別（せんべつ）を受けてくださいますか」

「え？」

竜馬は、どぎまぎして、

「受けますとも。なんです、物は」

「物は？」

さな子は、興ざめた。所詮は土佐の田舎者で、物の言いかたを知らない。

「お道中のご衣類でございます」

「ほほう」

「お恥ずかしゅうございますけど、お針を持てぬさな子が、お嫂様（ねえさま）（お八寸）に手をとってもらって、不出来ながらも縫いあげました」

「そうですか」

竜馬は、さすがに頭をさげてしまった。

さな子は、横においた一反風呂敷を解き、そこからまず、一襲ねの道中着をとりだして竜馬の膝さきへすすめた。

「恐縮です」

絹の黒紋服にぶっさき羽織、馬乗袴、装束ひとそろえちゃんとそろって、道中合羽までそろえてある。

(これは、たいへんだったろうな)

娘が、若者のために、その家の定紋を染めぬいた紋服を仕立ててやるというのは、やはり尋常でない好意であろう。

竜馬はどんな顔つきをしていいのか、困りはててしまって、その紋服をとりあげて、その剣先を指でごしごしこすりはじめた。

「なにをなさっています」

「はあ」

さな子は、手きびしい。

じつをいえば、よほど針が下手なのか、縫い目が波を打ってちぢれているのだ。

「これが」

「いいえ、それは、お擦りになってもなおりません。さな子が下手だからでございます」

「しかし」

竜馬は縹色の道中合羽をとりあげて、

「こっちは、うまくできておりますな」

「それは、白木屋で買い整えたものでございます」

「ははあ」

立つ瀬がない。

——さて。

大事が起こったのは、それから数日後のことである。

異変とは、世にいう安政ノ大獄である。

大老井伊直弼は、条約勅許問題と将軍継嗣問題について、江戸、京都で暗躍した反井伊派の逮捕を命じた。

これが、安政五年九月五日。

もっとも一斉検挙ではない。

この日を手はじめとして、翌年末にいたるまで、公卿、大名に対しては蟄居、差控、隠居。それ以下のいわゆる志士に対しては逮捕江戸送りのうえ投獄、死罪、という惨澹たる事件が、この後一年にわたってつづくのである。

この嵐が吹きはじめた九月五日から十日ののち、竜馬は旅装をととのえ、竹刀(しない)で防具をかつぎ、桶町千葉の門を出た。

重太郎、さな子が門前まで見送り、

「コロリ（コレラ）の流行(はや)っているときだ、道中、生水はのまぬように」

といいながら、人のいいこの剣客は、涙ぐんでいる。

さな子も堪えきれなくなったのか、顔をかくして門内に逃げこんだ。

「………」

竜馬はちょっと眼をつぶったが、やがて眼をひらいたときは、笑顔になっていた。

「なあに、またくるさ、堅固に」

「堅固に」

重太郎が、竜馬の肩をつかんだ。

竜馬も、重太郎の厚い肩を、どすん、とたたき、叩いた勢いで踵(きびす)をひるがえすと、あとも見ずに北へ去った。

数丁で、鍛冶橋に出る。

藩邸に入り、藩邸の御用役で竜馬をわりあい眼にかけてくれている小南(こみなみ)五郎右衛門にあいさつしようとしたが、不在であるという。

その他藩邸の重役にひとわたりあいさつし、あとはお長屋に立ち寄って、諸生どもに声をかけた。

武市半平太がいた。

蒼白な顔をしている。

「竜馬」

と、自室に連れ込み、

「期限の延期などどうでもなる。帰るな」

「なぜだ」

「きいたろう、大事出来だぞ」

「コロリのことか」

「馬鹿」

武市の声がふるえている。

「井伊がいよいよその本性をあらわして暴をふるいはじめた。うわさでは、わが藩公もあぶないというぞ」

藩主山内豊信は、越前侯、宇和島侯などとともに井伊の大嫌いな水戸系の尖鋭大名だから、この大獄では、とうてい無事にすまされそうになかった。

「御用役小南五郎右衛門どのなどは、数夜、眠ってないそうだ。今日も越前、薩摩などの留守居役を訪ねて幕閣の出方をさぐっているという。山内家は、取りつぶしになるかもしれぬぞ」

「落ちつけ、武市さん」

竜馬は、はじめてこわい顔をした。

「かといって、わしたちがさわいでなにになる。わしは、広言するようだが、天下がわしを必要とするようになるまで、ひたすらに剣技を練る。わしは、土佐へ帰る」

竜馬は、藩邸の門を出た。

空は、雲ひとつない。

旅と剣

竜馬の旅行好きはこの人物の生涯の特徴だが、こんどの帰国から、その癖は、本格的になった。

とくにこんどの旅は、一種の奇行といっていい。

無銭旅行なのだ。

むろん、金がなかったわけではない。国許の権平は弟思いで、平素、竜馬に不自由させないように、十分すぎるほどの金を江戸へ送っていた。

ところがその有り金をぜんぶ、出立のときに、桶町千葉道場に寄付してしまったのである。実をいうと、この寄付の申し出には重太郎もへきえきして、

——馬鹿な。

と、拒絶した。

——これから遠国へ旅立つというのに、無一文でゆくとは、気でも狂ったか。第一、

道場は、さしあたって金になんぞこまっておりはせぬ。

——置いてゆく。国へ帰れば金がある。

——それァ、あるだろう。しかし竜さん、土佐まで二百里近く、乞食道中をする気か。

と千葉重太郎がおどかすと、竜馬はこの乞食道中という言葉がひどく気に入ったらしく、

——それ。

と手をたたいた。

——それじゃ。それでゆく。むかしの剣客というものは、乞食をしながら武者修業したものじゃ。わしは、じつはこの年になるまで金ちゅうものは、父の八平か、兄の権平の懐ろから湧いてくるもんじゃと思うちょった。これァ、馬鹿者じゃ。いっぺん、一文二文のびた銭が、仏の顔にみえるような修業を積んでみたい。

振りきるようにして、江戸を出てしまったのである。

道中、野宿ときめている。

もっとも、北辰一刀流免許皆伝というありがたさで、道中、城下々々の町道場を訪ねれば、粗略にはあつかわれない。

他流試合をするか、門人どもに稽古をつけてやれば、いくばくかのわらじ銭は、紙にひねって渡してくれる。

それが、あてである。

（まさか、飢え死はすまい）

のんきに、東海道に出た。日本橋は遅発ちだったから、さっそく品川で日が暮れてしまった。

（いかん、品川でさっそく野宿とはおどろいたな）

道中、織るように旅人が往来している。江戸にちかく東海道屈指の繁華な宿場だ。まさかこんな土地で野宿するわけにいくまい。付近の鮫洲には藩邸があるのだが、寄る気がしなかった。

（やむをえぬ、夜どおし歩こう）

宿場はずれまできたとき、うしろから追ってくる足音がある。ふりむくと、寝待ノ藤兵衛だった。

「なんだ、お前か」

「お前か、はひどい。旦那、あっしは旦那の家来にしていただいたはずでござんすよ。家来にひとこともいわねえで旅に出る大将なんざ、きいたことがねえ」

「しかもその大将は、無一文ときている」

竜馬はこの境涯がうれしいらしく、肩をゆすって歩きだした。

「夜道とは、おどろきましたねえ」

藤兵衛は、ひたひたとついてくる。

妙な男で、どこで竜馬の旅立ちをきいたのかはしらないが、すっかり旅装を整え、木綿縞絣の風合羽を威勢よく肩からひるがえしている。

十三夜の月で、街道が白い。

左手は海。

潮のにおいが、たまらなく竜馬にはなつかしい。

「一体どうなさるんで」

「お前こそ、どうするんだ。土佐までついてくる気か」

「家来ですからね」

藤兵衛は、足音がしない。

ながい盗賊ぐらしの習性が、ぬけないのだろう。

鈴ケ森

不入斗（いまは入新井）

大森

蒲田

八幡（羽田）

とすぎるうちに、月が落ちた。闇になってしまうと、さすがの竜馬も閉口して、

「藤兵衛、先に立て」

と、命じた。

「へい」

藤兵衛はいそいそしている。竜馬にすれば、提灯がわりである。この男は夜目がきく。

「旦那、五十三次ずっと夜道ですかい？」

「昼も歩く」

「じゃ、旦那は不寝の旅」

「食わずの旅でもある」

「盗人以上ですね」

「以上であたりまえだ。盗人と同列でたまるか」

「旦那」

提灯役の藤兵衛は、前を小走りに走っている。大柄の竜馬の足にあわせようとすれば、それしか仕方ない。息をはずませながら、

「酷ですぜ、旦那」

といった。

「辛けれァ、江戸へ帰ることだな」

「無茶だなあ」

「お前は、盗人々々と、大そうな自慢をするが、おれの国には、もっとすごいのがいる。東海道百二十五里三十丁を江戸から昼夜駈けどおしで駈けくだり、途中、大井川も泳ぎわたって、大坂まで八日で行った」

「一日十六里。うそだァ」

「うそじゃない」

「やはり、泥棒で？」

「武士だ。岩崎弥太郎という。こういう化物が、世の風雲に乗じてあばれはじめるとおもしろくなるな」

「旦那も、化物だよ」

「なにをいやがる」

六郷の渡しで、夜が明けた。

船が、早発ちの客を乗せて棹を突こうとしているところをとびのり、

「藤兵衛、銭があるか」

といった。

渡し賃、一人で十三文。

それさえ、竜馬は持っていない。

「いやだなあ、旦那はもしあっしが追っかけなかったら、この大川をどうして渡るつもりだったンですかい」

「泳ぐさ」

横に武士がいる。

武士は、四十がらみ。髪を総髪に結い、装束、大小とも立派なこしらえだが、それにしては供をつれていない。

(浪人かな)

竜馬は、朝靄(あさもや)をあげている水面を見ながら、思った。

が、浪人にしては色白で眼も涼やかだし、生計の苦労がなさそうである。

(なんでも、いいわい)

しかし、気になる。

気になるのは、武士が、なにかにおびえているらしいことだ。両手を握りしめたり、かと思うとあごをなでたり、ときどき、舟ばたをコツコツたたいたりしている。

「旦那」

寝待ノ藤兵衛が、小声でいった。

「お気づきなさいましたか」

「なにが、だ」

「あのお侍、大金を持っていやすぜ」

「ばか」

竜馬は、額をこづいた。

「いくらわしが無一文でも、人のふところを狙うと思うか」

「へえ」

藤兵衛はしばらくだまっていたが、やがておずおずと眼をあげて、

「ご参考までに申し上げただけですよ」

「だまってろ」

「しかし旦那、あっしは元の稼業が稼業だからわかるんだが、あのお侍の大金、ちゃんとこの舟にいて狙ってるやつがある」

「どの男だ」

「ほら」

藤兵衛は眼をとものほうに走らせてすぐ水面に視線を落し、

「あそこに。こもっかぶりが。——」

「……」

竜馬がふりかえってみると、なるほど、虚無僧（こむそう）が二人いる。

「なぜ、わかる」

「なが年の、カンですよ」

総髪の武士も、それに気づいているらしく、ときどき虚無僧のほうをむいては、固い表情になる。

舟がむこう岸につくと、二人の虚無僧はさっと飛びおりて土手へののぼりはじめた。竜馬のみるところ、足腰に修業のあとがあって、腕は相当立ちそうだ。

「武士だな」

「らしゅうござんすね。あの歩き方には両刀を差していた者の癖がある。しかし武士が、他人の懐ろをねらうなんざ、世も末でござんすねえ」

「なにか、事情があるのだろう」

竜馬は、水際におりた。

歩きだそうとすると、例の色白四十がらみの武士が寄ってきて、

「卒爾どすが」

といった。京なまりである。

「何です」

「お人柄とお見受けしてお願い申しますのどすけど、京までの道中、ご同行ねがえまへんやろか」

「どうぞ」

竜馬は、頓着しない。

相手は、なにか事情があるらしく、腰のひくいわりには、名を告げないのである。

(時勢だな)

とおもったのは、神奈川宿をすぎるときに、幕府が構築しつつある砲台をみたときである。

鯖（さば）の背のように青い銅砲の背中が、秋の陽ざしを浴び、海にむかって砲口をならべている。

が、竜馬は空腹だった。ねむくもあった。坂の多いこの宿場の歩行が、とくにつらい。

藤兵衛が見かねて、

「旦那、あっしは、すこし持ちあわせがあるんだ。どこかその辺の茶店で餅でも食べませんか」

「かまわん」

これも修業だと思っている。

程ケ谷で、昼になった。すこし行くと焼餅坂という坂があり、両側に餅を売る茶店が多い。

例の京なまりの武士が、

「どうどす、このあたりで昼を済ませてしまいましょう」

「そうですな」

竜馬は、煮えきらない。

「かましまへん。お金のことどしたら、それがし、余分の路用がござる」

武士は、竜馬が無銭道中の剣客だということがわかっていたのだろう。

竜馬たちが茶店に入ると、先を歩いていた二人の虚無僧が、ツト足をとめ、向いの茶店に入った。監視するためらしい。

餅が、出た。

竜馬がたちまち一皿たいらげると、例の武士が気の毒がって、

「もう一皿いかがどす」

と、取りよせてくれた。

「頂戴します」

「どうぞ、沢山」

「ふむ」

われながら、わが身が哀れになった。これでは、餅で用心棒に傭われたようなものである。

(なるほど金とは大事なものじゃ。うかうかすると、三文餅のかわりに命を渡さねばならぬことになる)

竜馬は餅を食いながら、このえたいの知れぬ京なまりの武士の装束をみた。一本鷹羽(いっぽんたかのは)の定紋を小さく染めぬいた黒羽二重(くろはぶたえ)の羽織に黒の紋服、白襟をのぞかせ、染革(そめかわ)の野袴(のばかま)、それに華奢(きゃしゃ)な作りの大小を帯びているのが、端麗な顔によくうつっている。

「お手前」

と、その武士はいんぎんにいうのである。

「お言葉のご様子では、土佐の人とお見受けいたしますが、やはり左様で?」

「そうです。土佐藩士。身分は郷士です。名は坂本竜馬といいます」

「ほう」

武士は、にわかに明るい顔になった。

「それは、よろしおした。渡船のなかでお見受けしたときから、土佐藩のお方ではあるまいかと思うてお頼りしたのでござるが、これはうれしゅうござります。それがしの主家が、貴藩と御縁が深うござる」

といったくせに、自分の主家が何家で、自分の名は何である、とは明かさない。

よほど事情があるのだろうと思いながら竜馬は、最後の餅を食った。

藤沢の宿場に入ったときは、旅籠（はたご）の軒行燈（のきあんどん）にすっかり灯が入っている。京なまりの武士は、竜馬と藤兵衛にしつこくすすめて、とうとう同宿させた。部屋は、屏風（びょうぶ）で仕切った相宿で、夕食には銚子が一本ついた。

「ありがてえ」

藤兵衛は、一杯グビリと干してから、

「こういっちゃ何だが、京のお侍さま」

と、京侍に笑顔をむけた。

「酔狂な主人をもつと苦労は大変でござんすよ。この旦那ァ、東海道を飲まず食わず寝ずでのぼろうとなさるんですからね」

「ばか、なにをいう」

竜馬は、眼をむいた。

「わしは、城下や宿場の道場を訪ねては他流試合をし、いくばくかの路用を稼ぎながらのぼろうと思ったのだ」

「それが、思惑どおりの道場が一向にねえ、ときていやしてね」

「おもしろい」

一本鷹羽紋の京侍は、手を拍(う)ってよろこんだ。一日同行して、竜馬の人柄を見、これは信頼できるに足る、とおもったらしい。

「しかし」

と意外なことをいった。

「土佐の高知の坂本家と申せば、ご本家の才谷屋(さいたにや)とならんで非常な物持ときいておりますが、その御曹司が、なぜ路銀にもおこまりどす」

「おどろきましたな、なぜ、拙者の家をご存じです」

「これは」

と、京侍は明り障子に眼を走らせた。

竜馬は相手の意を察し、藤兵衛に眼くばせして、

——お前、廊下で見張ってろ。

と命じた。

「名を明かします」

「どうぞ」

「それがしは、内大臣三条実万卿の家臣で水原播磨介と申す」

公卿の家来で、公卿侍といわれる階級の人物である。

この連中は、官位は武家でいえば大名、大旗本並だが、実禄はなく、みなりもさほど贅沢ではない。

が、竜馬は、三条家ときいて驚いた。土佐の殿様山内家とは、姻戚である。当主豊信公の奥方正姫は、大名にはめずらしく公卿からきたひとで、これがしかも三条内大臣実万の養女（実は下級公卿の烏丸光政の娘）である。

「そやさかい、お手前が土佐藩士と知って安心はしておりました」

「しかし、三条内大臣さまの御家来ということまではわかりましたが、なぜ京におわすのに、拙者の高知の家のことまでご存じです」

「いや、坂本家のことどころやおへん。ようよう憶いだしてみれば、坂本どの、お手前のこともよく存じあげています。さる女性からしばしばお手前のことはきいておりました」

（あっ）

竜馬はさすがに顔がかわっている。

「お田鶴さま。……」

「左様、そのお田鶴どの」

京にゆく、という話を竜馬はきいたことがあるが、三条家の侍女に入っているのか。

竜馬と藤兵衛は、そのあと、水原播磨介という公卿侍のおかげで、なんとか三食をたべて、雨露をしのげることになった。

その後、

小田原で一泊。

箱根八里を越えて、三島で一泊。

さらに、

吉原

興津

岡部

と、富士のみえる街道筋に泊りをかさねて、やがて太田摂津守五万三千石の城下町掛川に入った。

あたりは丘陵が折りかさなり、赤松が多く、夕靄が小さな谷々にこめて、江戸からきた者には、そろそろ旅情が深まる宿駅である。

町家は千軒余。

町並は二十丁。

宿場に入ると、水原播磨介は相変らずいんぎんな物腰で、

「坂本さん、今夜の泊りはこの宿駅にしましょう」

「お気の毒ですなあ」

竜馬は、心の底からいった。自分のみではなく、泥棒の藤兵衛ぐるみで厄介になってしまっている。

城下第一の大旅籠捻金屋に部屋をとったが、湯からあがってくると、近在の村に秋祭りでもあるのか、のどかな遠州路の祭囃子がきこえてくる。

「宵宮かい。これゃ、懐しいわい」

竜馬は、故郷の土佐の秋祭りを想いだしたのか、杯をもつ手をとめていたが、

「播磨介さま。チクと見にゆきませんか」

「左様どすな」

煮えきらない。

のは、この人物のはじめからの態度で、ひどく用心深いのである。

宿に入っても、自分一人になるのがこわいらしく、厠に立つときも竜馬についてきてもらうし、竜馬が厠にゆくときは、この播磨介も、用もないのについてくる。

藤兵衛はこっそり竜馬に耳うちして、

――やっぱり旦那。播磨介さまは大金をもっていらっしゃるから、あのご用心のきびしいこと。

などとおかしがるが、竜馬は、そうはみていない。

播磨介の懐中にあるのは、金ではなくて書類だとみている。密書であろう。井伊大老が断をくだした京都論壇、水戸論壇に対する大検挙は、すでに、浪人、儒者、藩士、公卿の家臣から、公卿、大名の身辺にまで及ぼうとしている。

とくに播磨介の主人三条内大臣実万といえば「今天神」といわれたほどの学者で、天皇を中心とする京都論壇における最大の論客であり、実力者である。

播磨介は、その家臣だ。

しかも、この時勢に、ただの用で江戸へ行ったはずがない。おそらく、親京都派の水戸徳川家への密使であろう。だからこそ、道中身分をかくすために、本陣にもとまらず、身辺に供もつれていない。

「左様どすな」

播磨介は、煮えきらぬまま腰をあげた。

用心ぶかい播磨介がつい竜馬の誘いに腰をあげたのは、ここ一両日来、例の二人の虚無僧のすがたが見えなくなっている、という安堵もあったからであろう。

「ほなら、気晴らしに、参ろうか」

三人前後して往来に出ると、すでに暮色がふかい。

竜馬は、播磨介の左わきにぴったりと寄りそってやった。背が高いから、小男の播磨介は竜馬の袖にかくれるようにして歩く。

「はて、祭囃子の方角がわからぬな」

どうも風上からきこえてくるようだが、宿場のなかではないらしい。

人に訊くのは、夜中行き先を知らせるようなもので不用心とおもい、ただ音の聞こえるままに探ねてゆくと、道は宿場をはずれ、すでに人家がない。

「坂本どの、もうやめましょう」

「そうですな」

竜馬は、なおも歩いてゆく。

(出そうなものだな)

そう思ったからである。

実をいうと、駿府(静岡市)のあたりで虚無僧の影を見うしなったが、先刻、掛川の宿場に入ったとき、番所の軒先で彦根風のまげを結った武士がふたり、往来を見張って立っているのを竜馬はみたからだ。

(あれが、虚無僧の化り変りではないか)

そんな直感があった。

彦根者らしい。

井伊家の家臣である。

それが、主人の大老直弼の密命を帯び、江戸から播磨介のあとを見え隠れにつけてきて播磨介の懐中のものを奪るか、それとも、人知れずに殺してしまおうとしているのだろう。

(きっと、つけてくる)

竜馬には、確信がある。

いっそ先を越してやろう、というのが竜馬の考えだった。播磨介には気の毒だが、祭囃子にさそったのは、その魂胆があったからである。

「藤兵衛」

と、竜馬は、低声でいった。

「小石を二つ三つ、拾っておけ」

「おっと、承知」

藤兵衛は、路上を両手でひっ掻いて、たちまち手ごろな石をさらい懐ろに入れた。さすが、この男はもとの稼業が稼業だけに察しがいい。竜馬の魂胆が、おぼろげながらわかったのだろう。

「坂本どの。……もう」

播磨介の声がふるえはじめている。

「いやいや、すぐです。あれなる森のにぎやかな灯がそれでありましょう。もしお気がお進みなさらぬようでしたら、拙者のみ参りますから、お引っかえしくだされ」

「それはこまる」

ぴったりと竜馬の腰にくっつく。

——藤兵衛。

竜馬は低声でいった。

——提灯を消せ。

「へっ」

真暗になった。道はすでに本街道を離れ、両側に杉並木がつづいている。道はせまい。

参道である。

天に、星。

場所は、あとでわかったことだが下俣の戸神明神の参道。

道に、木の根が多い。

播磨介は、二、三度つまずいた。そのつど竜馬は介添えしてやり、

「いっそ、眼をつぶっていなさい」

と命じてやった。播磨介は、武人ではない。眼をあけていれば、かえって物影におびえたり、足を踏みちがえたりするものだ。

そのうち、参道の上のほうから、杉並木の根方をあかあかと照らして、松明の一団がおりてきた。

「あ、あれは」

「村の囃子方の連中でしょう」

そのとおりだった。村の年寄に引率され、竜馬らとすれちがうときに、

「お晩でごぜえます」

と口々にあいさつして行ったが、ふと年寄の一人が足をとめ、

「先刻のお武家さま方と、お連れさまであられまするか」

といった。竜馬は、さては思惑どおりか、と肚でうなずきながら、

「いや、別の者です」

とやりすごし、すぐ藤兵衛の袖をひき、播磨介にはきこえぬほどの小声で、

――藤兵衛、おれはいま大きな顔をして歩いちょるが、実のところ近眼じゃキニな。情けないことに夜眼がさっぱりきいちょらん。

――いやだねえ、旦那。どうするんです。

――さきほどの石じゃ。お前のそのいたちみたような眼で不審の影がみえたら、すぐ石をぶっつけろ。声は、たてるな。声はおれが立てる。お前分際が声をたてたら、敵に斬られると思え。それと、おれが、逃げろ、と下知（げち）したら、おれにかまわず、播磨介様を背負って宿場へ駈けだせ。

――合点（がってん）。

参道の彼方の森が、しずかになっている。囃子は、やんだらしい。

そのうえ、めざす森の中の灯は、一つ一つ消えはじめた。神主が、寝につこうとしているのかもしれない。

「しずかじゃな。なんとのう、この東海の黒い天地に一燈ずつ消えてゆく灯(ほ)あかりをみていると詩想がわきそうじゃ」

播磨介は、学者で詩人である。そういう余裕ができてきたのは、そろそろ何事もおこりそうでないという安堵がわいたからだろう。

「坂本どの、この社(やしろ)は、何様です」

「さきほど、地下(じげ)の年寄にきいたところでは下俣の戸神明神と言うちょりましたな」

「おお、されば、この上のほうにあたって戦国の古城金丸城の城跡があるはずじゃ。古城草枯レテ夜雨白シ」

「雨はしかし降っちょりません」

「詩では、そういうのどす」

そのとき。——

藤兵衛の丸い背が急にちぢまったかとおもうと、右手がすばやく動いて石を投げた。

石は、左手の杉の幹にあたった。

その飛びゆく石と、竜馬が横っとびに駈けだすのと同時だった。

「無礼者」

抜き打ち、左袈裟(ひだりけさ)に斬りさげ、ひらりと路上にもどった。

峰打ちだが、相手は骨がくだけたらしく、往来までころがり落ちて、もがいている。

曲者は、一人ではない。

こんどは右手の杉並木にもう一人、この男は白刃をふるって、路上にとびだしてきた。

「藤兵衛、石を投げろ、わしゃ、夜眼がきかんから不自由じゃ」

そのくせ、竜馬は声に笑いをふくんで怪漢の前へ殺到して行った。

むこうがふりおろす剣を、放胆にも避けず、わずかに背をそらし、相手の刀をすさまじく叩いた。

ぱっ

と火花が散った。

散った火をめあてに、竜馬はさらに相手の刀を横なぐりに叩き、ひるむすきを大きく踏みこんで、上段から籠手を撃った。

相手はつばで受け、どっとさがる。

「何者だ」

竜馬は、おそろしい声をだした。

「わしは土州藩士坂本竜馬。念を入れて申すが、わしを土州藩士と知って討とうといたしたか。後日、累が貴下の主家におよんでも知らぬぞ」

(いかん)

と、相手も思ったのだろう。ツツ、と杉並木までひきさがって、幹にかくれた。

「後日の証拠までに申しておく」

竜馬は、闇のなかで仁王立ちになり、

「これなる同行の者は、わが従兄にて土州藩山本俊蔵、さらにこなたにあるは、わが家来藤兵衛。さて、念のために貴殿のお名前をうかがっておく」

「…………」

むろん、相手は、彦根井伊家の家士何某、とは名乗れない。

が、竜馬は、ここまでこらしめておけばこのさき播磨介の道中の邪魔はすまい、ともい、刀をおさめた（が、これは後にあますぎる見方だったと気づかされたが）。

背後をみると、藤兵衛がいない。

播磨介もいない。

（ははあ、藤兵衛め、お連れして逃げたか）

と思い、参道のゆるい坂をゆっくりと竜馬はおりはじめた。

眼がみえない。

近視とは、不自由なものだ。

杉並木のコズエを仰ぎながら、コズエが画している星の光の帯をたよりに足もとの踏み場を考えて歩くのだが、そのかんじんの星が、クッキリとはみえないのである。

そのとき、背後から足音が近づいた。

（藤兵衛か）

そうではない、とみて、竜馬は刀のコジリをぐっとあげ、鯉口を切った。その姿勢のまま、竜馬は坂を一歩々々、踏みしめるようにおりる。

「……」

相手も、竜馬の呼吸をうかがいつつ、足どりをあわせておりてくる。

(いつ、相手は懸かるか)

その機が、双方の命の正念場になるだろう。竜馬もまた、相手の足音を心で読んで判断するほかない。

ところが、相手はピタリと足をとめた。

「坂本氏とやら」

懇願するような声である。

竜馬も足をとめた。

「なんだ」

と、竜馬は、背をむけたまま。

左足を出し、右足を自然体にひいて、腰を沈め鯉口を切っている。相手が抜き打ちを仕掛ける気配があれば、先をとる。そういう姿勢である。

「お手前の名は、われわれも存じている。京橋桶町の千葉の塾頭坂本竜馬どのであろう。が、われわれ、事情あって名は名乗れぬ」

「それで?」

「忠告したいのだ」

「わしにか」

「いかにお手前が一介の剣客でも、いま天下をゆさぶっている一大事をご存じないことはあるまい」

（一介の剣客にて？）

相手はそんなつもりでいったのではあるまいが、どうも竜馬には馬鹿にされたような気がする。

「それは何じゃ」

「大獄でござるよ」

（知っちょるわい）

竜馬は、多少、不満だった。

「それが、どうした」

「お手前が、川崎で道連れになられた仁こそ公儀に仇なす大謀叛人の片割れじゃ。大奸三条内大臣実万卿の家来にて水原播磨介という者こそ、あの者である。あの者、京にあって不逞の浪人、儒者どもと語らい、主人内大臣を操り、おそれながら主上の御明慮を眩し奉り、大公儀の御政道に対し、さまざまな奸計をめぐらしてきた者である。すでに大公儀にあっては、その罪状を偵知し、ちかく断罪に相成ることになっている。貴殿、一片のご侠心にてかばわれていることは我らも察するが、これ以上、いらざる手出しをなさると、お身はおろか、ご主家のお為にもなりませぬぞ」

「わかった」

竜馬は、姿勢をゆるめない。

「わかったが、あの播磨介どのが公儀の追捕人であるとすれば、なぜ、公儀の御役人がとらえぬ。それともお手前らは、公儀御役人であるか」

「………」

どうせこの男どもは井伊大老の私兵（彦根藩士）なのだ。返事ができない。

「しかも、無名どの」

竜馬は、なかなか雄弁である。

「この場所は、延喜式で定められたる式内社の境内にて、守護不入の浄域である。いかなれば、これにて罪人を密殺しようとしたか。もしこれが世間に知れれば、公儀批判の高まっている折りから、おのおの方の御主人井伊掃部頭さまの御評判にもかかわりますぞ」

「うぬ、雑言を」

「一介の剣客でも、それくらいは言うわさ」

「重ねてきく。手をひかぬ、な」

「俠気さ」

竜馬は、くすくすと笑いだした。なぜこんなときに笑いだしたのか、自分でもえたいいの知れぬ感情だった。おそらく相手は気味がわるかったろう。

相手は、ものもいわずに斬りかかった。

竜馬は、ツツと坂を四、五歩のめるように駈けおりたかと思うと、ぱっと飛びあがって松の大枝を切った。

ばさり
と、背後から駈けてくる男の頭上にかぶさったときは、すでに竜馬はいない。


その後、竜馬は、夜旅を避け、陽が昇ってから宿場を発ち、陽が沈む前に宿場に入るようにして、用心した。

播磨介も、すっかりこの護衛には感激して、

「坂本どの、この御恩は忘れませせぬぞ」

と、何度もいった。

「なに、礼などいわれると」

竜馬はうれしそうに恐縮している。二十四にもなるのに、笑顔に子供っ気がぬけない。

桑名(くわな)

松平越中守十一万石の城下である。

宿は、京屋小兵衛方にとった。一階、中庭に面した奥十畳の間で三人がくつろいでいると、旅籠の亭主小兵衛が廊下の障子かげから、

「亭主の小兵衛でござりまする」

といった。

「土州様ご家来坂本竜馬さまに申しまするが、ただいま、当桑名様の御家中にて鹿田伝兵衛様がお見えになり、ひと目おめにかかりたいとのことでござりまする」

「なに、鹿田さんが？」

竜馬は立ちあがりかけた。

播磨介はあわててその袴をとらえ、

「偽り(たばか)りということがおすぞ。左様な名を申し立てて例の者が闖入(ちんにゅう)せぬともかぎりまへん。お断りやす」

「いや、鹿田と申すのは、当桑名藩の剣術指南役をつとめる立派な御仁です。わが師匠千葉貞吉のふるい門人で、まだお会いしたことはありませんが、この竜馬には兄弟子にあたるひとです」

「お断りしなはれ」

播磨介は、ふるえている。

「しかし、それでは、私の義理がたたぬ」

「いや、坂本どの、頼む。旅先ではめったな者には会わぬことじゃ」

（ふむ……？）

竜馬は思案し、うまく理由をつくろって亭主に申しきかせ、会わぬことにした。ただ念のため、藤兵衛に言いふくめて、鹿田という人物の様子をさぐらせることにした。

「えらい、無理いうて済ンまへんどすな」

播磨介はほっとし、ホッとしたついでにもはや大事を打ちあけていいかと思ったのか、

「坂本どの、もそっと近う」

と、膝もとに呼びよせた。

というのは、やはり竜馬が推測していたとおり、播磨介は、江戸の水戸藩邸への密使であった。

朝廷では、幕府よりもむしろ、その御三家の一つ水戸家を信頼され、例えば去月の八日、密勅を降下された。事実上、井伊大老排斥の趣旨をふくんだもので、この密勅事件が、こんどの大獄の直接の発火点になったといっていい。

井伊の強引な検察的態度には、京都もふるえあがったが、水戸家も戦慄した。

そういう情勢下で、今上は、

——もう一度、水戸の真意をたたくよう。

と三条内大臣に勅諭され、内大臣は、その家来水原播磨介を密使として関東へくだらせ、水戸の返事をもちかえらせようとしたものである。

(だから、井伊の家来は、この人をねらっていたのか)

「いや」

竜馬もさすがに真顔になって、

「うすうすは想像しちょりましたが、それほど重いお役目の御道中でござったか」

といった。

が、内心、兄弟子の桑名藩剣術指南役鹿田伝兵衛がせっかく訪ねてくれたのに気の毒をした、との気持はぬけきらない。

というより、もっとはっきりいえば、この公卿侍荷厄介(にやっかい)だったな、と道中同行したことを後悔している。

「坂本氏、お手前にはご迷惑をかけるが」

と、水原播磨介はいった。

「これは王事のためどす。お手前も土州の方なれば、尊王のお志は強おすやろ」

(尊王。……)

この言葉ほど、この当時の青年にとってオクタン価の高いことばはない。耳にし、口にしただけで、熱涙がわき、血が泡だち、じっとしていられなくなるほどのふしぎな語韻をもつ言葉なのだ。

「尊王」

という語感のもとなら命も捨てる、という青年が、そろそろ諸藩に出はじめている。

——武市の天皇好き
といわれるように、土佐藩では武市半平太がその火ノ玉組の総大将になりつつあるし、長州藩では、萩城下の郊外で、いままさに吉田松陰がその塾「松下村塾」でその火ノ玉組を育成しつつあった。

薩摩にもいる。西郷吉之助（隆盛）を首領株にあおぐ薩州精忠組がそうだ。

この火ノ玉青年には、共通したところがある。詩人気質の者が多いということだ。

尊王

ときくだけで、かれらの胸中にふつふつとして詩情がわき、詩句がならび、自分の胸中の詩句の世界のなかで自分の命を焼きつくしてみたい、という衝動がおこる。こういう情念の持ち主がそろわなければ、後年の維新回天、といったような歴史の大飛躍は、容易におこるものではない。

が、竜馬は、火ノ玉型ではない。というより、よほど巨大な火ノ玉なのか、一見タドンのごとくして容易に火がつかないのである。すくなくとも、安政五年秋帰国の途上、播磨介に逢ったころは、竜馬はまだ巨大なタドンにすぎなかった。

「それがしを守護してくださるのはお手前の尊王のお志より出たものと拝察します。そのご精忠は」

と、播磨介は語をつづける。

「それがし京都に帰りましたならば、主人三条内大臣にもよく申し伝えましょう」

「ありがたいことです」

そこへ藤兵衛が帰ってきた。

竜馬はもう浮き足だってしまって、

「やはり、鹿田殿であったか」

「お屋敷まであとをつけ、辻番にもとくと訊きましたゆえ間違いはございません」

「そうか」

剣か王事か、となれば竜馬にとってはまだ剣のほうが面白い。播磨介よりも、鹿田伝兵衛のほうが魅力があるのだ。

「ちょっと失礼。藤兵衛、よく播磨介様をお護り申しあげるのだぞ」

といいのこすや、ぼう然としている播磨介をしり目に、どどっと廊下へ駈けだしてしまった。


伊勢桑名といえば、五十三次屈指の大宿場で、旅籠は櫛の歯のように往来に軒をならべ、旅人の数も肩をふれあうほどに多い。

竜馬は大手門へむかって歩いた。

「旦那さァ、ちょいと」

両側の旅籠のおんなが、耳もいたくなるほどに竜馬をよぶ。

茶店の女もうるさい。軒端で名物のハマグリを焼きながら、往来へ呼びかけるのだ。

時雨蛤みやげにしやさんせ

伊勢の飯盛女（おかめ）の情所（なさけどこ）

竜馬の顔が赤くなるような卑猥（ひわい）な売り文句をならべながら、さわぎたてている。それが武家屋敷のいっかくに入るとまるできこえなくなる。

城が、美しい。

おりからの夕陽に映え、白壁が桃色に色づいている。桑名城というのは、城の半身を揖斐川（いびがわ）の川口に浸し、満潮のときには潮の香が城内にみちるという城で、戦国このかた、さまざまの興亡の秘話をひめる名城だ。

いまは、松平家十一万石の居城。

徳川家の親藩のなかでは、会津松平家とならんで、武勇の家風を誇っている（のち維新前夜、桑名藩は会津とともに京都警護に任じ、佐幕派として最後まで薩長土を主力とする官軍に抵抗したことは有名）。

すぐ、鹿田伝兵衛の屋敷はわかった。

門前に立って竜馬が、

（ほう）

と見あげたほどの宏壮な屋敷である。長屋門の両側を改造して道場になっており、そこからさかんな竹刀の音がきこえてくる。

（やっちょるなあ）

竜馬は、この音をきくとうれしくなった。懐中にしていた名札を出して案内を乞うと、いきなり道場に通された。

道場正面で、鹿田が待っている。四十年配のりっぱな恰幅の武士で、竜馬が案内されてくると、もう抱きつかんばかりにしてなつかしがった。

そのくせ、たがいに初対面なのである。

初対面だが、桶町千葉のいわば同窓生で、大先輩にあたる。鹿田はかつて塾頭をしていたこともあるし、その意味でも縁のふかい兄弟子なのだ。

「ほう、君が坂本君か。大きいのう。その上背なら、千葉栄次郎さんみたいに四尺の大竹刀が使えるじゃろう」

「いや、竹刀は常寸ですよ」

そんな話からはじまった。

竜馬は、さきほどの無礼をあやまり、しかしなぜ自分が桑名にきたことをご存じでしたか、と訊くと、鹿田伝兵衛はにこにこして、一通の書状を竜馬にしめした。

「千葉重太郎さんから差立ての急飛脚がついてのう。あんたが、東海道を乞食道中しておるゆえ桑名で救うてくだされ、というご命令じゃ。これは救わねばなるまいと思い、舟番所の役人にたのんで毎日それらしい人物をさがした。とうとう網の目にかかったというわけじゃ。が、そんなことより」

と、鹿田伝兵衛は、かたわらから一本の竹刀をとりあげて竜馬にあたえた。

「まだ外に夕映えがあるうちに、わしの門人どもに、江戸仕込みのいきのいい剣をみせてやってくれ」

「いや、道場はもう暗いですよ」

暗いのは、近視の竜馬はにが手だ。正視の剣士と立ちあえば、身動きまで一段さがってしまう。

「暗ければ、第一、見物の門人衆にも太刀筋がよくみえないではないですか」

「いや、それはそれで工夫する。当道場には名物がある」

と、鹿田伝兵衛はしつこく所望したから、竜馬はやむをえず立ちあがった。

門人に案内されて、控えの間で衣服をぬぎすてて防具をつけた。竹刀をとってもう一度道場に出てきたときは、場内の様子はすっかりかわっている。

(ほほう)

竜馬はおどろいた。

道場の中央には、畳二十帖ばかりの広さにわたり数十個のローソク皿が円をなして点々と配置され、それだけでなく、四人の門人が手に手に燃えはじめの松明をかざしていた。この松明組が、芝居の黒子のように、立ちあう二人の前後左右に移動しつつ明りを提供する、というのが趣向らしい。

(まるで万燈会じゃな)

たしかに、美しい。

「みごとですなあ。しかし、あの百目ローソクの結界のなかで試合をするんですか」

「ふむ」

鹿田伝兵衛は、満足そうだった。ときどきこういう装置をして、門人たちを夜試合に馴れさせているらしい。

竜馬がもっとおどろいたのは、道場の四方一列にびっしりと詰めている門人たちが、やがて用意がすすむにつれて手に手に素焼の燈明皿をもち、皿から一穂ずつ灯を垂らしてすわりはじめたことだった。

あかるい。

「坂本君」

と、鹿田は、師範代の末森春吉、吉田源次、古荘大五郎という三名を手まねいてそれぞれ紹介した。

「こちらは坂本先生だ。よく教えてもらいなさい」

「いや、教えていただくのは、私のほうこそです。おねがいします」

竜馬の本音である。こんな装置のなかで試合をするなどは、やったことがない。

「ではまず古荘大五郎からお相手なさい」

「はっ」

古荘は面をつけ、道場の中央、灯の群れのなかに入った。

竜馬は中段。

古荘もおなじ中段である。

（これァ、いかん）

竜馬は閉口した。松明が動くたびに古荘の竹刀の影が動くのだ。どれが実の竹刀で、どれが虚の竹刀なのか、とまどってしまう。

「やあっ」

古荘は、馴れている。たちまち袴を蹴って竜馬の面に殺到し、竜馬はぱっと退いた。退きぎわに籠手を斬りおとしていた。目もとまらぬ早業である。

「籠手あり」

審判鹿田伝兵衛が手をあげた。

腕に格段の差がある。

古荘の眼からみると、竜馬の姿は、炎を踏まえている巨人の像にみえた。撃とうにも竹刀がすくんで撃てないのだ。

（こいつ。——）

夢中で撃ちこんでゆくと、竜馬はびしっと胴を抜き撃って、三間むこうにすっ飛んでいる。

三本目は面をとられて、古荘は敗退。

このあと、末森、吉田という目録の師範代が立ったが、いずれも竜馬の竹刀にさえ触れず、三本もろにとられてさがった。

（強い。――）

道場のすみずみで、ため息がもれた。江戸の一流と田舎剣士との腕の差は、こうもちがうかと見せつけられたような思いだった。

竜馬は別室にひきとり、湯殿に案内されて汗をながしたあと、客間に通された。

酒の用意ができている。

鹿田は竜馬を上座にすえ、やがて銀の酒器をとって進み出た娘を紹介した。

「千勢（ちせ）という。わしのひとり娘じゃよ」

「はあ」

竜馬は、千勢の注ぐ酒を受け、娘をなにげなくみたとき、予期していなかっただけに、おもわず息がとまったほど娘は美しい。

「これは」

竜馬は、こんなところが愚かしい。ついうっかり鹿田のほうをむいて、

「まことに鹿田先生は、この娘御のお父御（ててご）であられますか」

「念をおすまでもない。だから、娘、と申している」

鹿田は多少不快な顔をした。

ふしぎなものだ、と竜馬はおもった。鹿田のような面構えの剣客が、なぜこのように美しい娘を生むことができるのだろうか。人間の神秘というものかもしれない。

(世間には、まだまだわしのわからんことが多い。攘夷開国論にわしが介入するのは、まだまだ早いようだ)

愚にもつかぬことを考えているうちに、千勢の高島田がすこしかしいで、

「あの坂本さま、お酒が。……おひざにこぼれているようでございます」

「はい」

竜馬は、あわてて袖でひざをぬぐった。

「まあ、お袖で」

「いや、どうせ食いこぼしだらけの着物ですから」

「坂本君」

と、鹿田はいった。

「さきほどは、感服した。夜試合になると灯の影がやたらと散って、馴れぬとよほどの者でも撃ちこまれることが多いものだが」

「あれには、弱りましたな。私は近視(ちかめ)ですから。ああいう薄暗いなかでは十分にはたらけません」

「近視か」

剣術には、最も損な体質である。

「どんな工夫をした」

「いや、古荘さんのときはなんとか凌げましたが、あとのお二人が出来そうなので、やむなく眼をつぶって太刀打ちをやりました。そのほうが虚影の動きにとらわれず、かえってよかった」

「ほう」

鹿田はあきれた。

酒客を父にもったせいか、千勢は燗のかげんもうまく、すすめ上手である。竜馬はつい、すごした。そのうえ、鹿田伝兵衛の剣談がおもしろかった。

上泉伊勢守、塚原卜伝、宮本武蔵、伊藤一刀斎、小野治郎左衛門、桃井春蔵、斎藤弥九郎など、古今の剣客の事歴、強弱を論じ、飽きるところをしらない。

「やはり、強かったのは宮本武蔵だろう。これは古今独歩といっていい」

と伝兵衛はいった。

話の区切りのたびに、横から千勢が、ほろほろと微笑しながら、酒をつぐのである。

「武蔵はつよい。その強さは神にもっとも近づいた人間というべきだが、しかし武蔵の芸には重大な欠陥がある。なんだとおもう」

伝兵衛は、いい気持である。

「わかりませんな」

竜馬は、にこにこして他愛もない。

「武蔵の芸が、後継者を生まなかったことだ。この人は、うまれつき超凡の気魄があった。その気魄を剣に注ぎ入れて独自の芸風をつくりあげたが、しかし後進にとっては、武蔵のような異骨をそなえないかぎり、その芸に近づけない。いかにかれの五輪書(ごりんのしょ)を読んでも武蔵にはなれない」

「なるほど」

「その点、武蔵と同時代の巨人であった伊藤一刀斎はまったく別の剣客である。一境地をひらくごとに一理を樹(た)てた。剣に、理を重んじた。理があってこそ、万人が学ぶことができる。だからこそかれの創始した一刀流は数百年後のこんにちにおよんでもなお衰えぬどころか、伊藤派一刀流、小野派一刀流、梶派一刀流、中西派一刀流、さらにわれらが師匠がはじめた北辰一刀流にいたるまで、大小五十余流となって栄えている。武芸だけでなく、世の芸のすべての行きつくところは、片や武蔵、片や一刀斎の二つの道があるとおもう」

——どうぞ。

と、千勢が、竜馬に酒をついだ。

「そこで、だ」

伝兵衛は、肴のみそを舐(な)め、

「あんたは自分の芸質からみて、自分が両者のいずれの型に属しているとおもう」

といった。

竜馬は、こまった。

「どちらにも属しちょりませんな」

といった。正直なところである。剣は好きだが、剣の芸をきわめることに、自分の全生涯を没入させるまでには、ふみきっていない。やはり、竜馬は時代のなかにいる。

前時代の泰平の世なら、竜馬は、一介の剣客として自分の芸のなかに、自分を没入させることができたろう。

が、いまはちがう。この四つの島に欧米の強国が軍艦巨砲をもってせまりつつあり、国内の血気の武士は、その撃攘をさけんで、わきたっている。その時期に、芸ひとすじに生きるほど、竜馬は単純ではない。要するに、いまの時期の竜馬は、どっちつかずの中途半端なのである。

「どうだ、坂本君」

と、鹿田伝兵衛はいった。宮本武蔵になるか、伊藤一刀斎になるか。

「そうですな」

竜馬は、大きな体をまるめて、首すじをしきりと掻いた。なるほど伝兵衛のはなしはきいていて面白い。得るところも多いが、やはりどこかに竜馬とは世代のちがいがある。若い竜馬には、伝兵衛のように芸一筋にうちこめぬところがあるのだ。

（宮本武蔵でも、墨夷艦に斬りこんで撃ちはらえぬからなあ）

そのくせ、武市半平太のように、涙をながし身をふるわせて天下国家を論じるような書生論客の型ではない。

「まだ自分が、わかりません」

と、竜馬はいった。

「しかし、まあ夢中で日をすごしておれば、いつかはわかるときが来るじゃろ、と自分では思うちょります」

「いいことばだ」

伝兵衛は、眼をほそめてうなずいた。竜馬は照れくさくなって、

「阿呆ですキニ」

「いや、すこしぐらい阿呆なほうが結構じゃ。あまり小利口小才子では、眼前の物事に眼がうつりすぎて、かえって、身も事もあやまる。ところで」

伝兵衛は、膝をのりだした。

「話がある」

「どんな？」

「これは、江戸の重太郎（千葉）殿から差立ての書状をみたときから、わしの心に決していた。さればこそ、貴下が御来訪早々に、太刀筋をみせてもらったのじゃ。そこでどうだろう」

「なにが、です」

「御当家に仕える気はないか」

「桑名松平家に？」

「ふむ。推挙する」

桑名松平家は、会津松平家とともに、親藩のなかでは武をもって鳴る家である。伝兵衛のいうところでは、この藩は東海道の要衝にあるだけに時勢に敏感で、万一異国軍侵入のさいは、諸大名の範となって奮迅しなければならぬという気持が上下に満ちている。藩としてはいま、武芸練磨の士をひそかにあつめているという。

「どうじゃ」

むろん伝兵衛は、竜馬がよろこんで受けるものと思っていた。

これほど筋目のたかい藩に、名も知れぬ郷士の次男坊が仕官できるなどは、よほどの幸運といっていい。

が、竜馬はその気がなかった。

まだ青春は、ふんだんにある。こんな桑名くんだりで、小さく自分を固めてしまうつもりは、まったくなかった。

「せっかくのご好意ですが、わしのようなずぼら者は、お歴々にまじって窮屈な宮仕(みやづか)えなどは、とてもできません」

「できん？　ことがあるか。今夜夜あかしで、そのこともゆっくり相談しよう」

「あっ」

竜馬は杯をおいた。とんでもないことを思いだしてしまった。宿に、水原播磨介を置いてきている。不意に予感があって、そのことが心配になってきたのである。


「どうした」

鹿田伝兵衛がいった。竜馬は、宿で播磨介が待っている、とはいえない。

「いや。じつは旅籠に忘れものをしたのをおもいだしたので」

といった。

「大した忘れものか」

「まあ、そうです」

「あの」

と、横から千勢がいった。

「いかがでございましょう。わたくしでよければ、その品、とって参りますけど」

「はあ、ご好意はありがたいですが、拙者がいかねばらちのあかぬものです」

「そんなに」

千勢は目をみはり、

「重いものでございますか」

「十五、六貫はありましょう」

「それでは千勢には重すぎます。でも、中間をつれて参りますから、その者どもにかつがせましょう」

「しかし」

竜馬もこまってしまった。

「生きたひとですよ」

「まあ、女」

千勢は暗い表情になった。

「なんと？」

鹿田伝兵衛は、さては、という顔つきをした。じつは最初この青年を城下の旅籠に訪ねたときから挙動が変だと思っていたのである。

「坂本君、粋筋だな」

「あまり、粋でもありませんな」

「見損った、あんたには。修業中の身で、そのようなことをしてよいものか」

「さあ」

「ちかごろめずらしくいい若者だと思い、御当家に推挙もしてやろう、いやさ、あんたさえよければこの千勢をめあわせて」

「はあ？」

竜馬は、あきれた。

鹿田伝兵衛は気のはやい男だ。世間にこういう人はままあるが、自分が勝手に頭にえがいた構想に相手の寸法があわないと、ひどく腹をたてる。これも、好人物の一種なのだが。が、当の竜馬はこまってしまう。

「とにかく、宿へ帰ります」

「まあ、よい。飲め。そのような女は、いくら待たしておいても、減りも腐りもせん」

伝兵衛は、杯をつき出した。

竜馬はそれを受け、千勢がついだ。千勢は良家の娘だからさきほどの表情はすっかり消して、豊かに微笑した。

「でも、そのような女の方を宿にお置きになっていては、気が気ではございませんでしょうね」

「おんな？」

竜馬はそういう誤解か、と思い、これは寝待ノ藤兵衛を仕立てるにかぎると思って、

「いや、男です。泥棒ですよ」

「泥棒？　君はいろんなことをしているのじゃな」

「いや、供です」

「泥棒を供につれているのか」

伝兵衛は酔っている。

しまった。

竜馬も、すっかり酔った。やがて意識がもうろうとしてきて、その場に酔いつぶれて

竜馬が目ざめたときには、すでに陽も高くなっていた。

(しまった)

ふとんをはねのけて、とびおきた。ふとんに、紺の新鮮なにおいがした。昨夜、伝兵衛に案内されて、このふとんに寝かされたまでは覚えている。

(播磨介どのは困っていような)

すぐ旅籠へ帰るつもりで身じまいを整え、部屋を出た。

廊下で、千勢に出会った。千勢はひざまずいて鄭重な朝のあいさつをしたあと、

「ご洗面の用意は、井戸端にしてございますから」

「拙者は顔を、あまり洗いません」

「まあ。でもおぐしぐらいはおすきあそばしまし」

「いや、髪もこれがゆるゆるして、ちょうど頃合です」

髪の毛が、嵐にあったようにそそけ立っている。国もとにいるときは、姉の乙女もこれに手こずったものだった。ときには押えつけるようにして髪をすいてやり、まげを結ってやるのだが、結ったしりから、竜馬は両手でびんをぼさぼさにもみほぐしてしまう。あの顔の皮のつっぱるような緊縛感が、どうも性にあわない。

（顔を洗わないのと、髪をすかないのと、衣服が垢じみても平気なのとだけが、この人は宮本武蔵に似ている）

と、千勢はおかしかった。

伝兵衛にあいさつをし、簡単に朝食をすませ、竜馬は、おもてに出た。

旅館にもどってみると、すでに、水原播磨介と寝待ノ藤兵衛は、一刻ばかり前に発ったという。

宿の女主人が、わかりにくい伊勢ことばでくどくどといった。

「あんたさん、どこへ行っておいでたのですかえ。あのお二人さん、ずいぶん、いらいらしてお待ちになっておいでやしたが、このぶんではもう戻ってこぬかもしれぬ、発とう、もし帰れば大いそぎであとを追ってくれと申し伝えてくれ、と申されて」

「わかった」

竜馬は、往来へ出た。

後ろから、妙な男がつけてくる。遊び人風の男で、旅の服装をしているが、顔色が日にやけていない。旅人とすれば、この桑名ふりだしの男ということになる。

（何者だろう）

と竜馬は警戒した。ひょっとすると、例の刺客の密偵かもしれない。

四日市の茶店で、遅い昼食をとった。

そこを出て、赤堀に入った。ここは、街道百二十五里のうちでも、大橋小橋の多いと

ころで、銭がめ橋、落合橋、かはけ橋、長田橋、田畠橋、とつづき、最後に加太夫橋をわたったときに、

「旦那」

と、遊び人風の男は、声をかけた。背のひくく、意外に物優しい顔の中年男である。

「なにかね」

「赤蔵、と呼んでくださいまし。ええ、桑名で小間物屋をしておりますが、本業は藤兵衛の古い仲間で、藤兵衛から旦那のお供をせよといいつけられておりますんで」

（ほう、こいつも盗賊か）

竜馬は、大きくあごをひいてうなずいてやった。

小間物屋赤蔵は、足の早い男で、竜馬がうかうかしていると、

「旦那、早く」

とせきたてる。早く播磨介に追っつくというのが、藤兵衛からあたえられているこの男のしごとなのだろう。

石薬師で、陽がおちた。が、まだ残照が空にある。竜馬はちょっとうんざりして、

「赤蔵、ここで泊まるか」

というと、赤蔵は容赦をしない。

「亀山まであと二里半でございます。夜になりますが、藤兵衛はその宿の大和屋平七という旅籠で待っているはずでございますから、いますこし足をのばしましょう」

亀山に入ったのは、宵五ツ（午後八時）をすぎていた。

小間物屋赤蔵が旅籠大和屋の軒先で竜馬を待たせ、自分だけ土間に入って、播磨介の仮名を言い、そのお方はとまっていなさるか、ときくと帳場では、おじゃらぬ、という。

「旦那」

と、赤蔵は耳打ちをした。

「変事があったのかもしれませぬ」

「そんなことはなかろう」

「いや、たしかでございます」

こういう後ろ暗い渡世をしている男だから、変事については常人にはない勘のようなものがあるのだろう。

「この亀山のお城下に新町という町がございまして、私の兄貴分がそこで人足の周旋業を営んでおります。ちょっとそこまで御足労を」

竜馬は、従った。

なるほど、行ってみると水屋伊助という大きな店で、よほど盛大にやっているらしい。

竜馬は、茶の間に通された。やがて主人というでっぷり肥った老人があいさつにまかり越して、そのまま引っこんだ。

「赤蔵、この店も内実は盗賊か」

「めっそうもない。堅気でございます。この伊助と申すのは若いころはいかがわしい渡世も致しておりましたが、いまでは藩（亀山六万石、石川家）の御役人から可愛がられ、御用筋の人足はいっさいこの伊助がまかなっております」

「なるほど」

旅はするものだ、と思った。世を動かしている仕組がいろいろとわかる。

「この伊助の人数を借りて、街道筋の宿場々々を尋ねさせますから、この部屋でお寝みになって待っていてくださいまし」

「どうも世話をかけるなあ」

「なに、御遠慮にはおよびませぬ。寝待ノ藤兵衛にはむかしはずいぶん厄介になったものでございます」

藤兵衛という男は、こういう世界では、えたいの知れぬ顔をもっているようであった。

そのあと、竜馬はひじ枕で、三、四時間うとうとした。

竜馬が寝ているあいだ。水屋伊助の息のかかった若い者が、おそらく四、五十人も街道のあちこちを駈けまわったのだろう。

丑ノ刻すぎ、小間物屋赤蔵がもどってきて竜馬をゆりおこした。

「旦那、やはりただごとじゃなかった。このさきちょっと戻ったところに海善寺川という川がございます。その河原で、お人が」

――播磨介らしい人物が、死んでいる。

竜馬は、大刀をつかんで往来へとんで出た。街道を東へ走って、十丁。河合橋という土橋がある。その下を海善寺川というのが流れているが、水がほとんど涸(か)れ、河原は雑草が生い繁っている。

「赤蔵、死体はどこだ」

と、竜馬は土橋でたずねた。

「この橋の真下でございます」

「わしがさきに降りる。提灯をもってついて来い」

草を踏みしだいておりてみると、なるほど武士が斃(たお)れている。

竜馬はとっさにコメカミの動脈に指をあてたが、すでに脈搏はない。

(死んだか)

淡い縁だったが、竜馬はさすがに胸が痛んだ。これこそ男だ、ともおもった。

竜馬は、少年の日に姉の乙女から漢籍の素読をまなんだが、ひどく感銘したことばに、こういうのがある。

志士ハ溝壑(こうがく)ニアルヲ忘レズ

勇士ハソノ元(げん)ヲウシナフヲ忘レズ

意味は、——天下を救おうとする者は、自分の死体が将来溝や堀に捨てられて顧みられぬことをつねに想像し、勇気ある者は自分の首（元）が斬りすてられることをいつも覚悟している。そういう人物でなければ大事を行なうことはできない、ということだ。

（この播磨介どのもそうだな）

と、いまあらためて思った。外見、婦女子のようにものやさしくて、臆病で、小心だが、ある日、旅籠で、

——私は、京に帰ったら幕府役人のために捕えられるでしょう。

と、平然といった。志士とはこういうものかと竜馬はおどろき、あらためてこの京者の顔を見なおしたことである。

（りっぱな男だ）

そのとき、土手をそろそろと踏みながら小間物屋赤蔵が提灯をもってやってきた。

「旦那、灯を」

「ふむ。照らしてくれ」

竜馬は死体の顔をのぞきこんだ。

「……………？」

のぞきおわってから、ぐっと驚きを肚の底におし殺して赤蔵を見あげた。

「おい、ちがうな。播磨介どのではない」

「ではどなたです」

（例の彦根の侍だな）

顔に見覚えがある。そうにちがいない。この男の家族もまた、この男がこんな異郷の河原で死んでいるとは、つゆ知るまい。やはり（勇士ハソノ元ヲウシナフヲ忘レズ）の勇士といってやっていい。

「あっ、これは、藤兵衛の短刀だ」

と、竜馬は、心ノ臓に突き刺さっている短刀をひきぬいた。

彦根藩士の血が竜馬の手首を伝わった。


竜馬は、死体から血だらけの短刀をぬきとって、草でぬぐった。

（こんな事件をおこした以上、藤兵衛はこのあたりでぐずぐずしているはずはない。もそっと、先だろう）

「赤蔵、来い」

と竜馬は言いすてて堤の上へ駈けあがると、足早やに歩きだした。

夜が、明けそめている。

鈴鹿峠をくだった山中までくると、旅人に名物の飴を売る茶店がある。

そこに、寝待ノ藤兵衛がいた。大きな湯呑をかかえ、あつい飴湯をふきながらゆうゆうと飲んでいたが、街道をゆく竜馬と小間物屋赤蔵の姿をみて、立ちあがった。

藤兵衛は往来へ出た。さりげなく、竜馬の横へ寄りそって歩きはじめる。

「なんだ、お前か」

と、竜馬は編笠の中からいった。

「旦那、さがしましたぜ」

「さがしたのはこっちのほうだ。てっきり、あの彦根者に殺されたかと思った」

「やはり、海善寺河原で彦根者を殺したのはお前か」

「へい」

平然としている。つねは剽軽(ひょうきん)な男だが、前歴が前歴だけに、底気味のわるいところがある。

「あっしの短刀さえ現場に残しておきゃ、死体はどうせ水屋の若い者がみつける。みつければ、旦那も馬鹿じゃねえ、短刀をみりゃ藤兵衛の仕業だとわかる。すると藤兵衛先へ素っ飛んだのだろうということもお察しになる、とこういう寸法を、ちゃんとあっしは考えていたんで」

「ところでかんじんの播磨介どのは、どうした」

「それが」

藤兵衛は声をおとして、

「あっしが怖くおなりなすったらしい」

「そうだろう、逃げたな」

竜馬は、歩度をゆるめた。

藤兵衛のはなしによると、桑名をすぎたあたりから彦根者があとをつけてきたらしい。

——うるせえ。

と藤兵衛はおもったのだろう。逆にこちらから彦根者のすきをうかがい、庄野の宿をすぎたあたりで陽が暮れたのを幸い、河合橋で身を伏せ、忍びよって刺したというのである。

それをみて播磨介は安堵する一方、このえたいの知れぬ町人がこわくなった。そのあと藤兵衛が、どうなだめすかしても、

——わしは、独りでゆく。

といってきかず、藤兵衛もやむなくこの茶店でわかれ、播磨介は夜道をかけて鈴鹿ふもとの土山までおりたはずだ、という。

「藤兵衛、殺すことはなかったのだ」

と、竜馬も、いった。

「しかし、あいつは刺客ですぜ。こっちが殺(や)らなきゃ、いまごろ播磨介さまのお命はないはずです」

「まあ、それはそうだが」

武士が盗賊風情に殺された、というのが、竜馬には理屈ではなく傷(いた)ましい気がする。

その夜は、江州甲賀郷の水口の宿で一泊。

異変は、そこでおこった。

竜馬が、寝待ノ藤兵衛、小間物屋赤蔵のふたりをつれて江州水口宿に入ったときは、陽もだいぶ傾いていた。

ここは、戦国のころ甲賀流忍術で知られた近江甲賀郷の首邑で、いまでは加藤越中守二万五千石の領地である。

この宿場は、東海道五十三次のなかでも、旅籠、茶店の客引き女の気のあらっぽいことでも有名で、どの旅籠も男まさりの腕力のもちぬしをそろえて、宿場の入口に待機させている。

竜馬らが宿場の入口に乗りこんでくると、その女ども十数人がわっとつかみかかり、袖や手をにぎって、

――これ旦那さま、菊屋におじゃれ。

とか、

――いやいや松屋が良いぞ、湯殿も新普請じゃし、蒲団もおろしたてじゃ。

――なんの、菱屋にはおよばぬぞえ。前栽のながめもよし、飯盛女は京そだちをそろえてとんと道中の疲れが癒えるぞえ。

口々にわめき叫ぶ。

「待て」

と竜馬はそれらをおさえ、水原播磨介の人相骨格を説明し、その武士、この宿に入らなんだか、とたずねると、

——それは私とこです。

と、いちばんおとなしそうな客引き女がいった。

「そうか。それなら当夜の旅籠は、ぬしが店にきめた」

——本意ないこと。

口々に他の客引きがののしるなかを、竜馬は枡屋市兵衛方にわらじをぬぎ、番頭の案内で、水原播磨介の部屋に通された。

播磨介は、よろこんだ。

この京侍にしてみれば、町人藤兵衛は気味がわるかったが、やはり竜馬を頼りにして、抱きつくような所作をしてみせた。

「やれやれうれしや。あんたがわしを嫌うて、桑名でお逃げなされたかと思い、心もと無う思うておりましたが、地獄で仏に逢うた気持どす」

竜馬も、ここまで頼りにされていたかと思うと、桑名での自分勝手な行動が、つくづく悔まれてくる。

夕食には、どじょう汁が出た。

この里には、工芸品としてはキセル、つづらが産物だが、たべものの名物としては、

どの旅籠でもどじょう汁を出すので有名であった。

竜馬は、藤兵衛、赤蔵のふたりは隣室に部屋をとらせ、播磨介とふたりきりで、ゆっくりと酒をのんだ。

「が、ご無事でなによりでした。ここまで来れば京へ十二里と二十五丁。もはや帰洛なされたと同然です」

「いや、京はもはや鬼の巣どす。宿場々々できいたうわさでは、志士が京都所司代の手でぞくぞくと逮捕されております。若州浪士梅田雲浜、水戸藩士鵜飼父子をはじめ、毎日のように志士が幕吏の手にとらえられています。私は京にもどって主人内大臣さまに復命するのがつとめでありますが、これは同時に虎口に入りにゆくようなものです」

言いおわったころ、旅籠の亭主がばたばたと廊下を走ってきて、

「ただいま、京都西町奉行所与力渡辺金三郎さま御出役にてお人改めでございます。みなみなさまご神妙に願わしゅうございます」

と、いいすてて階下へ走りおりた。

「ぎえっ」

という声こそ出さなかったが、水原播磨介は、それに似た表情になった。

「さ、坂本どの、わしはどうすればよい」

京都西町奉行所与力渡辺金三郎といえば、この「安政ノ大獄」で志士逮捕に活躍した

鬼与力で、どれだけの志士がこの人物のために六角獄にほうりこまれ、死へ送られたかわからない（渡辺は数年後、武市半平太指揮による尊攘派の刺客団のために、奇しくもこの江州水口宿の近くの石部で暗殺された）。

「わざわざ渡辺が京都から出役してきたとあれば、目的はわしじゃ、坂本どの、わしはどうすればよいか」

「お逃げなさい。あとは、この坂本がなんとか言いくるめてさしあげます」

「しかし、逃げられるか」

おそらく不可能だろう。

与力が出役するほどの捕りものなら、旅籠の付近、宿場の辻々は、捕吏がひたひたと押し詰めているにちがいない。

隣室から、寝待ノ藤兵衛、小間物屋赤蔵のふたりが、さすがに緊張した顔をならべて入ってきた。

「藤兵衛、それに赤蔵」

「へい」

「そのほうどもは、前職が前職だから、こうして不浄役人に取りかこまれたことがあるだろう」

「ございます」

「されば、播磨介さまを介抱して、この場を首尾よく逃げてくれるか」

「旦那は、あとにお残りになるんで」

「のこる」

宿帳には、竜馬だけが、松平（山内）土佐守家来坂本竜馬と明記してある。この場を逃げれば妙な嫌疑がかかって、主家に迷惑のおよぶのは確実である。

「そいつは、あぶのうございます」

「かまわぬ」

「坂本どの」

と、播磨介は、自分の着物のエリをびりびりと裂いて一通の封書をとりだして、

「これは水戸家から三条家への大事な密書でござる。それがし万一のことがあれば、内大臣さまにとどけていただけませぬか」

「心得た」

竜馬は、くるくると衣服をぬいで素っぱだかになり、六尺の褌のなかに巻きこんで大あぐらをかいた。

そのころにはすでに藤兵衛と赤蔵が介添えして、旅籠の床下にもぐりこんでいた。

「播磨介さま、ご辛抱を」

「いや、厄介をかける」

這いすすんで土蔵裏へ出、やがて藤兵衛は塀の上へのぼった。赤蔵は、塀下にいる。二人で播磨介を押しあげ引っぱりあげようという算段である。

一方、竜馬の部屋では――。

与力渡辺金三郎が、同心五人をつれ、水口藩の徒士目付、それに宿場役人を案内人として、部屋の明り障子をカラリとあけた。

「御用改めでござる」

といってから、あっ、という顔をした。

素っぱだかの大男が、背をむけ、右ひじをたかだかとあげて、杯を含んでいる。

「ぶ、ぶれいであろう」

と、与力渡辺金三郎はいった。素っぱだかの竜馬は、ゆっくりふりむいて、

「はん?」

と、耳に掌をあてた。耳が遠い、という演技である。

渡辺は、水原播磨介の偽名を言い、

「その播磨介なる者、公儀罪人である。御用によって訊く。その者は貴殿とこの部屋で夕刻から相宿であったであろう」

――聞こえぬ。

と、竜馬は大いそぎで手をふり、筆でものを書く手真似をした。筆と紙で、筆談をしようというのである。

「ははあ、耳が聞こえぬのか」

渡辺はやむなく、宿役人にいいつけて筆紙の用意をさせ、質問の意味をさらさらと書くと、竜馬も筆をとって顔をしかめ、

——恥ずかしながら無筆にて、漢字が読めぬ。かなで書いて賜れ。

と書いた。

（手のかかるやつ）

と、渡辺は思い、まず、

——きでん、まことの、ろうしゃ（聾者）なりや。

と書いた。

むりもなかった。徳川時代では、盲目、聾者は、武家百姓をとわず、家督は継げないことになっている。武家の家では、武士にもさせず、隠居させるはずだから、こうして旅に出ているはずがない。

そこは、竜馬も心得ている。

——さにあらず。

要するに、播磨介を逃がすための時間をかせぐだけでよい。

——桑名にて剣術試合をせしところ、耳袋つぶれ、耳鳴りやまず、音はきこゆるも、言葉を分別せず。

——貴殿、京の堂上三条内大臣様の御家来水原播磨介と道中なしおる体に見受けられるが、いかなるつながりなるや。

――他人なり。

――他人とは、いかなることぞ。

――親子親族にあらざる意なり。

竜馬は、愚弄している。

渡辺も、かっとしたらしい。同心をかえりみて、

「この者、不審である。引っ立てい」

といった。

同心三人が部屋に踏みこんで竜馬の両腕をとろうとしたとき、竜馬は、ハッと相手の腕の逆手をとって投げとばし、自由になった右手で筆をとるや、

――なんすれぞ、土佐守家来に無礼はするぞ。

と大書した。

藩士に対しては、奉行所役人は司法権をもっていない。事があれば、奉行所から藩にかけあわねばならず、事は面倒になる。

「ほかをさがせ」

渡辺もばかばかしくなったのか、見張りの同心二人を置いて、自分はあわただしくその場を去った。その直後、

(はて?)

と、竜馬は、不吉な予感がした。

遠くで、けたたましい呼子笛（よびこぶえ）の音がきこえはじめたのである。

竜馬は、ぬっと立ちあがった。さっさと衣服をつけると、いつもの癖で、脇差を下っ腹のあたりにねじこみ、大刀はコジリさがりにながながと落し差しにした。

——どこへ参られる。

と、見張りの同心が、大いそぎで筆を走らせて竜馬にさし示した。やがて、

——捕りもののけん。

と竜馬は書いた。

同心は閉口して、再び筆をとり、

——ここに居さっしゃい。神妙になさらぬと、不為になりますぞ。

竜馬は立ったまま、ちらりとそれを見、読みすてたまま歩きだした。

「ま、待たれよ」

同心は、袖をとらえた。

そのとき、二人の同心が腰をぬかすほどおどろいたのは、竜馬がふりかえりざま、

「やあ、わしに命ずるか」

と大喝したのである。

竜馬が怒るのもむりはなかった。浪人、町人なら別として、幕吏が歴とした藩士の行動を制ちゅうすることはできないのだ。

しかし、同心のほうも心外である。

「お、お手前、お耳がきこえるではないか」

「たったいま、癒った」

竜馬は、悠然と階段をおりた。

往来へ出ると、捕りものがあるというので家々は雨戸をおろしている。

暗い。

風が出ている。

同心は御用提灯をつけた。

竜馬は同心を前後に従えて、呼子笛の鳴る方角へむかって歩きだした。

「坂本どの、実は」

と、いままでだまっていた方の同心が急に媚びるような親しみをみせた。この男のいうところでは、京都柳馬場の道場で北辰一刀流を学び、江戸の塾頭坂本竜馬の名前は、つとに聞いていたという。

「そうか。同門の仲か」

「ですから、お手柔らかに。お逃げにならぬようにねがいます」

足軽町へ出た。

むこうの町角からにわかに提灯の群れがあらわれて、こちらへやってくる。

(あっ、やはり捕まったか)

竜馬は立ちどまった。

やがて、縄こそ打たれてないが、大小をとりあげられた水原播磨介が、捕吏の六尺棒にかこまれて、竜馬の前を通った。

播磨介は、ちらりと竜馬を見た。

刹那（せつな）、竜馬は、刀のツカに手をかけた。捕吏を斬り倒して乱入し、播磨介を解きはなってやろうかと思ったのだ。

が、播磨介は、このやさしい京侍のどこにそんな気魄がひそんでいたのかと思われるほどのはげしい声で、

「乱心者」

と一喝した。

「お役人衆、その者、狂人でござる。追うてくだされ」

若い竜馬に無用の罪を作らせて前途を失わせたくないと思ったのだろうし、第一に、竜馬にあずけた密書が三条家に届かなくなることを怖れたためでもあろう。

捕吏が、棒をとりなおした。同心どもが、いっせいに刀のツカに手をかけた。

総指揮者渡辺与力が、一歩進み出た。陣笠をかぶり、鉄鞭（てつべん）をもち、暗がりを見すかすようにして竜馬の影をじっと見さだめていたが、やがて、

「坂本か」

と、低くいった。

「うぬはやはり、播磨介と一味徒党であったか」

「ちがう」

といったのは、播磨介である。

「その者はたまたま道中で道連れになった男じゃ。多少気が触れている。しかし役人衆、ご用心なさるがよい。腕は立つ」

（えっ）

とおどろいたのだろう。ぱっ、と一同遠巻きになった。

この時代の幕府の司法吏というのは、想像以上に意気地のなかったものだ。相手が弱かったり、追立て人数の多いときはかさにかかって勢いづくが、さもなければ、用心に用心をかさねる。

「目つぶし」

と、与力渡辺は、命じた。

竜馬は、のそり、と足を踏みだした。

のそり

のそり

と、捕吏の群れに近づいてくる。

ひょっ、と目つぶしが飛んだ。

が、竜馬にはあたらない。

竜馬は、眼中無人の野をゆくようにゆっくりと歩いてくる。

捕吏はそのつど、じりじりと後ろへさがり輪をひろげた。

そのとき、竜馬はすばやく腰のものを抜きとった。刀ではない。矢立である。

懐紙一帖をとりだし、下手な文字で、

——往く。

と書き、さらに、

——邪魔だてすべからず。

と書いた。書きおわると、ぱっと紙吹雪のように散らし、それが地上に落ちたときはすでに背をむけ、闇の中に悠然と消えてしまっている。

（なんだ、あいつ）

と、捕吏も気味がわるかったのだろう。たれもあとを追わなかった。

竜馬はどんどん歩いた。

宿場はずれを過ぎ、さらに夜道を三里歩いて石部の宿場まできたとき、月が落ちた。

（いかん、道が見えん）

やむなく街道わきに、大あぐらをかき、大刀を抱いてすわりこんでしまった。

自分の手も見えない暗闇である。

（えらい男じゃったな）

播磨介のことだ。

たとえ死刑の目にあわなくても、あのひよわさでは、牢死は確実といっていい。が、播磨介は、泰然としていた。男は、危機に立ってはじめて真価のわかるものだ。

このとき、闇の鼻さきで足音がして、寝待ノ藤兵衛が這い寄ってきた。水口宿のはずれからこそこそとついてきたのを、竜馬は知っている。

「藤兵衛か」

竜馬は、不機嫌である。

京日記

竜馬は京に入った。

京は雨である。

すぐ河原町の土佐藩邸に京都滞在の旨をとどけ出、柳馬場御池の旅籠にやどをとった。

このところ、世上騒然としはじめているため、幕府では諸藩士にして京に滞在する者は、宿所の軒下に、

何藩何某

という貼紙を出すように、との布令を出している。

竜馬の宿札もはり出された。

この宿の近所には、京でも知られた心形刀流の道場があり、その門人たちが、

「ほう、これは千葉道場の坂本ではないか」

と、通りすぎてゆく。剣客仲間で、よほど竜馬の名は高くなっていたものとみえる。

わざわざ訪ねてくる者もあったが、竜馬は、この気さくな性分の男にしてはめずらしく、人には会わない。

水口以来、不機嫌なのである。自分の不注意と非力で水原播磨介の身柄を、おめおめと幕吏の手に渡してしまった悔恨は、日がたつにつれて、いよいよ心を重くしている。寝待ノ藤兵衛は藤兵衛で、自分の直接の責任だからすっかりしょげていた。

「旦那、どうかごかんべんを」

日に何度も、あやまっている。そのつど竜馬は、

「ああ、いいのさ」

と明るい笑顔になってやるが、すぐあとでむっつりとこわい顔になる。

旅籠で、三日、降りこめられた。

竜馬は、杯をはなさない。

翌々日の夕刻も、中庭のとい、、をつたわって聞こえる雨だれの音をききながら、黙然と酒をのんでいる。

藤兵衛もたまりかねて、

「あっしゃ、もう腹の二つも切りてえぐれえだが、あれは仕方がありませんでしたよ。京役人どもは、播磨介さまが水口へ入ることを知って網を張っていたんだ。逃がしようがなかった」

「お前を責めているのではない」

「じゃ、もっとこう、旦那らしく」

「馬鹿陽気になれというのか」

「こまるなあ、そうひねくれなすっちゃ」

そんなぐあいだった。

竜馬は、なおも考えこんでいる。

が、実のところ、返らぬことをくよくよと後悔ばかりしているのではない。播磨介からあずかっている三条卿への密書を、どういう手段で渡そうかと苦慮している。

(三条家には、お田鶴さまがいる)

お田鶴さまに渡せばいい。が、そのお田鶴さまに会うことが、いまや至難のことなのだ。

京に入ってから聞きこんだうわさでは、過激派公卿の三条実万の身辺には幕吏の眼が昼夜となく光っていて、うかつに出入りはできない。

すでに、播磨介と朋輩だった三条家の家臣富田織部(実万の子実美の家庭教師で、三条卿の理論的黒幕。伯耆の人)が梨ノ木町の自邸で逮捕され、六角の獄舎に投ぜられている。

「藤兵衛」

竜馬は、ついに顔をあげた。

「お前の盗技をもう一度使おう。仙洞御所の北にある三条様のお屋敷に忍びこめ」

忍び込み、ともなれば、寝待ノ藤兵衛はこの道三十年の職人である。本職というのは、素人とちがってひどく慎重なものだ。

「商売往来にはねえ職だが、こんな職でも天下のお為になるなら冥加なことだ。やらせていただきます。しかし、三日は貸していただきたいもので」

「まあ、たのむ」

と、竜馬は、いっさいを藤兵衛にまかせた。あとは旅籠で酒ばかりのんでいる。

藤兵衛は、京の薬屋で商売ものの薬を仕入れ、その翌日から町を歩きだした。

三条卿の屋敷は、仙洞御所の北、清和院御門の付近にある。

このあたりは、東は寺町、北は石薬師御門、西は禁裏御所にいたるまでの区画、四十数軒の公卿屋敷が、びっしりと塀をならべて密集している。

藤兵衛は、昼間に一度、夜分に一度、所用ありげな足どりで通る。

ひんぱんには、うろつけない。どこに幕吏の眼があるかわからないからだ。

清和院御門のすぐ前が、高野少将の屋敷である。

その塀の西角を北へ入るせまい道が、梨ノ木町という通りである。

梨の木町に入った角が、葉室卿の屋敷、これは小さい。塀がくずれている。

その北隣りが、めざす三条殿の屋敷だが、藤兵衛がいつ通っても、そのむかい屋敷に人の出入りがあって、どうやら所司代（幕府の京都機関）の役人が詰めているらしい。

それとなく三条家を見張っているのである。

(こいつは、事だな)

さすがの藤兵衛も、仕事のむずかしさをおもった。

幕吏が詰めている屋敷というのは、水木という諸大夫(公卿より一段下の御所の下僚)の屋敷で、佐幕派の人物である。所司代のために自邸を貸しているのだ。

公卿や御所の諸役人といっても全部が尊王攘夷の運動家ではなく、三条卿のような連中は全体の一割もいない。

まだ幕府は強勢であり、日本を代表する唯一の政府であり、しかも武力と金がある。多くの公卿諸大名は、幕府の鼻息をうかがって暮らしていたし、裏面では積極的に幕府に通謀している者もあった。

(むずかしい)

が、藤兵衛は、さすがに玄人だ。三日目になって、あなをみつけた。

というのは、三条卿の屋敷の隣りが今城卿の屋敷である。そのならびが、

理性院殿(宮門跡)お里

聖護院殿(宮門跡)お里

梅園卿屋敷

とつづいている。

これらはほぼ無人で、塀もひくい。侵入りやすくできている。

（まず梅園さまのお屋敷に入って、そのあと南へ串刺しに内塀を乗りこえ乗りこえゆけば、三条さまの屋敷の裏塀に出られる）

そのとき、藤兵衛の後ろから、

「おい、薬屋」

と、声をかけた者がある。

藤兵衛は、梅園屋敷の柿の木をみた。みごとに熟（う）れた二つ三つが、夕陽に映えてうつくしい。

「へい？」

と、藤兵衛は小腰をかがめ、いかにも善良そうな笑顔をうかべてふりかえった。変身とはこういうものだ。藤兵衛の顔が、底ぬけに気の弱そうな行商人の表情になっている。

「なにか、ご用でございますか」

「俺（わい）の顔、知っとるやろ」

「はて、どなたでございましょう」

「知らんかえ」

と、相手の男は、懐ろから十手をちらりとみせ、

「訊くことがある。このさきの自身番まで来てもらおう」

といった。

猿の文吉といわれた目明しである。

年のころは三十三、四で、色黒肥り肉、ほお骨が張り出、細い眼がいやしい。

藤兵衛はそこまで知らなかったが、この男は京なら泣く子もだまるほどの凄腕で、とくに思想犯、政治犯を担当している。

もとは、京の北、御菩提池村の小百姓の子で、若いころはやくざの群れに入り、一、二度は牢屋飯を食ったという男だが、小才がきくところから目明しにとりたてられた。この当時の目明し、御用聞きというのは、たいていこういう経歴のもちぬしがなる。

文吉には、娘がある。養女である。

君香といい、祇園の舞妓に出ていたが、これが佐幕派の九条関白家の家来島田左近（後年、薩摩藩士で人斬り新兵衛といわれた田中新兵衛によって斬殺）に落籍されて妾になり、これがために養父の文吉は、非常な羽ぶりをきかすようになった。

島田左近は、幕府（現実には、井伊家の謀臣長野主膳）から金をもらって、京における尊王攘夷派の過激家の動静を密告し、現在進行中の「安政ノ大獄」の立役者として多くの志士を死に送りつつある人物である。

その手先が、猿の文吉だ。

天性ふしぎなカンがあって、志士たちがいかに逃げかくれしても、かならず隠れ家をつきとめる。そのつど、島田左近の手を通して幕府の所司代から金がおりる。この金をころがして高利貸も兼ね、のちには二条新地で妓楼も経営して大尽風を吹かせていた男で、文吉のために刑死、牢死の非業にたおれた志士は数が知れない。

その文吉の六感が、藤兵衛をくさいとにらんだのだろう。

が、藤兵衛もただのねずみではない。

「め、めっそうもない。どういうご不審かは存じませぬが、手前のような気弱な小商人は自身番ときくだけで肝が凍りますでございます。ごかんべん願わしゅうございます」

「われァ、江戸者やな」

「左様で」

「江戸の薬屋がなぜ、京の公卿屋敷の界隈をうろうろしている」

「いや、じつは京へのぼってくる道中で、京のお公卿さまのご家来というお方に多額の薬を買いあげていただき、代は京の屋敷ではらう、と申されましたゆえ、こうしてお屋敷をさがしているのでございます」

「なんというゴッサンけえ？」

「何でも東五条さまという……」

「阿呆」

そんな姓のゴッサンはない。御所さんとは、京者のいう公卿のことだ。

「へーえ」

藤兵衛は腰を落して、泣きべそをかくまねをした。

「そんなお公卿さまは京にはいらっしゃらないんで」

が、猿の文吉は藤兵衛の演技に乗らない。疑わしそうに眼を光らせながら、

「汝（われ）、その芝居、真実（ほんま）けえ？」

といった。上方言葉というのは使う者によってはゆうにやさしいものだが、こういう男が凄味をきかしていうと、変にどすのきいたものになる。

「し、しばいではございませぬ。どうかお慈悲を願わしゅうございます」

「よし、堪忍（かに）したる、行け」

「へっ」

藤兵衛は哀れっぽく何度も頭をさげて石薬師門外に出、いそいで角をまがると、もとのふてぶてしい顔にもどった。

（ふん）

まだ公卿屋敷街の中である。藤兵衛は自分の背後を、人がつけているのを知っている。

（百も承知さ）

文吉の、これが手であった。

文吉はまだ藤兵衛に対する疑いをといていない。まず藤兵衛を泳がせておき、下っ引きを使ってあとをつけさせるつもりなのである。

（その手に乗りやしねえよ）

石薬師御門の通りを東に入り、南に折れれば寺町の筋になる。

この通りに門を構える公卿屋敷は、

六条殿

押小路殿

中園殿

武者小路殿

とつづき、その塀のむこうが、御所の高級女官のお長屋になっており、いかにも女屋敷らしく塀がひくい。

そこまできたとき、

(はて)

と尾行者は、立ちどまった。

藤兵衛の姿がみえなくなったのである。まるで路上から、蒸発したようであった。

——この小門か?

と小者は押してみた。ふわり、と拍子ぬけするほどの軽さで、内側へひらいた。

尾行者は、そっと内部へ身を入れた。万一、下級女官にみつけられ、彼女らが騒いでも、

——所司代御用でございます。

とおどせば、けりがつく。

まだ幕府には往年の絶対権力が残っており、数年後に対幕勢力として頭をもたげてく

る薩長土は、いまなお半ば眠った状態にある。公卿などは腰ぬけの標本のようなものだから、幕権を笠にきておどせば他愛もない。

こんな卑賤の小者にまで、そういう傲慢(おごり)があり、大きなつらで邸内に入った。

ところが、三歩目で、

「おい」

と、背後で声がした。

そのときには、尾行者の頸に、藤兵衛の腕がまきついていた。

苦しい。

（ああっ）

と声もなく口を開けたとき、ゆっくりと藤兵衛はその口へ石見銀山(いわみぎんざん)（毒薬）を入れ、やがてぐったりとなった体を、草むらのなかに蹴ころがした。

藤兵衛は、顔色も変えない。

寝待ノ藤兵衛が、柳馬場御池の旅籠にもどってきたのは、その翌朝である。

竜馬は、女中の給仕で朝飯をかきこんでいたが、藤兵衛が入ってきても箸もとめない。

「旦那、お使いからもどりました」

と、藤兵衛は、薬箱をおろした。

「わかっている」

という顔で、竜馬は返事もしない。やはり不機嫌である。この男が、これほど長く不機嫌をつづけるというのは、かつてないことであった。播磨介の一件なのだが、かといって藤兵衛の不手際を責めているのではなく、この事件を通じ、竜馬は、

「天下」

というものを深刻に考えはじめるようになっていた。自分が一介の剣客でいていいものかどうか。

「まあ、めしを食え」

竜馬は、箸をすてた。

「あたりまえですよ」

「なぜだ」

「ここの宿賃はあっしのお銭(あし)だもの」

「それもそうだな。では、存分に食え」

「余計なお世話でさ」

「藤兵衛、おかんむりだな」

「あたりまえですよ」

と、藤兵衛は女をさがらせ、

「いったい旦那は、めめしくていけねえ。あっしの失敗(しくじり)で播磨介さまを役人どもに渡してしまったとはいえ、あれはあっしの力が足りなかったんだ。もういいかげんにかんべ

んして下さいよ」

「勘弁?」

竜馬は、くびをかしげた。

「おれが、そんなに不機嫌そうか」

「ですとも」

「そうか。おれが不機嫌にしているとどんな顔だ。すこしはいい男にみえるか」

「とんでもねえ。旦那のお顔はだいたい上機嫌でこそもつ顔だ。そのつらで、おっと、お顔で不機嫌になられちゃ、山賊の親玉でござんすよ」

「おれは不機嫌になっちょらん」

「不機嫌さァ」

「お前なんぞ、鼠賊（そぞく）にはわからん。おれは、自分自身の一生いかに生くべきかを考えちよる」

「休むに似たり、だ」

藤兵衛はからりと笑って、

「一生なんざ、機会（しお）できまるもんでさ。旦那がこの藤兵衛を怒っちゃいねえとすると、旦那の思案は察しがつく。身を張って天下に生きるか、それとも、このまま故郷（くに）でくすぶって町道場主になるか、どっちにすべえ、ってことでしょう」

「藤兵衛、お田鶴さまのもとに密書をとどけたか」

と竜馬は、話をそらした。

「このとおり、御返事がございます」

「よこせ」

竜馬は、金蒔絵(きんまきえ)の書状筒をスポリとぬいて、なかから手紙をとりだした。

お家流のみごとな筆蹟である。

嫋(たお)やかでしかもシンの強そうな筆癖は、お田鶴さまがそこに立っているかと思うほど、書き手の人柄に酷似(こくじ)していた。

都の花に嘯(うそぶ)けば
月こそかかれ吉田山

という歌謡がある。京都の旧第三高等学校の寮歌の一節である。その、

「吉田山」

が、お田鶴さまが、竜馬への書状で指定した密会の場所であった。

現在の地理感覚でいえば、京都市左京区吉田町京都大学本部構内の東にある丘陵である。

この山頂に、

「智福院」

という禅寺があった。

竜馬のこの時期よりも数年後、討幕の志士の密謀の場所になった寺で、明治後廃寺になり、いまはない。その後、この廃寺が、「東洋花壇」という鶏料理屋になっていたというが、現在はどうなっているか、筆者のしらべは、不覚ながらそこまでいたっていない。

山麓に、吉田神社がある。

そこから、赤松の木の根道の急坂をのぼると、山頂の樹木におおわれて、智福院はある。

竜馬がのぼったときは、すでに夕暮で、樹間の紅葉の色が、斜陽をふくんで血を滴らせたようになまなましかった。

寺は大きくない。

ただ、京の町を眼下に見おろす眺望が大きい。方丈の前に立つと、足もとから苔のかおりをふくんだ風がふきあげてきた。

「坂本という者です」

と竜馬が小僧に姓のみを告げた。寺ではいっさい心得ているらしく、茶室に通された。

すでに、釜がたぎっている。

ほどなくお田鶴さまがあらわれ、炉のむこうにだまって着座した。

竜馬も、照れくさそうにあごをなでている。

お田鶴さまは、根の高い島田髷のせいか、高知にいたときよりも若くみえた。江戸紫の被布羽織が色白のお田鶴さまによくうつる。胸もとで、金をふくんだような華やかな朱の房が揺れ、それが竜馬の眼には、痛いほどのうつくしさに映った。

「竜馬どの、しばらくでありました」

と、お田鶴さまは、いかにも姉さまぶったいいかたで、いった。

「拙者も同然。――」

竜馬は、あいかわらず、あいさつというものができない。

「竜馬どのはいいお顔つきになられました。剣術のほうは、だいぶ評判のようですね」

「たいしたことはありません。それよりお田鶴さまは、一段と美しくおなりあそばしましたな」

「竜馬どのも、世辞が使えるようになりましたか」

「もう二十四ですからなあ」

「それより」

お田鶴さまは真顔になって、

「藤兵衛と申す竜馬どののご家来より、播磨介どのの書状、および水口での一件、つぶさにききました。三条卿さまも、竜馬どのの勤王、殊勝である、と申され、こののちよろしく天朝に忠勤をはげむように、とのお言葉でございます」

「ははあ」

坂本竜馬の名が、尊王の志士として京の公卿に記憶されたのはこのときからだろう。

「竜馬どの」

と、お田鶴さまはいった。

松風の音がきこえる。

「京の寺町二条下ル日蓮宗本山妙満寺というお寺が、どのようなお寺であるかを存じておりますか」

「お寺、ですか」

竜馬は、首をかしげた。

「存じませんな」

「なにもご存じないのですね」

「まだ、寺詣り（てらまいり）には早いですものなあ」

「いいえ」

お田鶴さまは、竜馬の冗談に乗ってこない。

「この寺には、魔王がいます」

「魔王？」

竜馬は天下の形勢について、ほとんど知るところがない。

お田鶴さまのいう魔王とは、老中間部下総守詮勝（まなべしもうさのかみあきかつ）のことである。

越前鯖江五万石の城主で、早くから幕閣に入り、寺社奉行、大坂城代、京都所司代、と順調に栄進し、ついに老中になり、いったん辞職、さらにこの安政五年六月再任した。再任は、大老井伊直弼の推挙による。

自然、直弼の手足のように働き、いま進行中の安政ノ大獄の実際上の指揮は、この間部詮勝がとっている。

それが現地指揮をとるべく京に入ったのは竜馬の入洛よりも一月早い九月三日で、宿所をお田鶴さまのいう妙満寺にとった。

妙満寺こそ、安政ノ大獄の伏魔殿であった。

間部詮勝は、妙満寺方丈の居室に香をたき自画像をかけて、非常の決意をかためていた。

その自画像は、刀を研いでいる。幕府の政策に反対する論客、政客、策謀家の一切をこの一剣をもって葬る覚悟であった。

本陣妙満寺には毎日のように、井伊の京都駐在の謀臣長野主膳がたずねてきては、京都の情勢を説明し、反幕派人物の一人々々の挙動についてくわしく報告する。その長野主膳の爪になって探索報告を作っているのが、先日、寝待ノ藤兵衛が、梨ノ木町で出あった目明し文吉であった。

妙満寺では、長野主膳が帰るとすぐ町奉行がよばれるのが常である。

「この者を」

と、間部は、人名を指す。

たちどころに町奉行所から人数が出動し、その人物が逮捕された。

いま、京はその騒ぎの渦中にある。

お田鶴さまが、いった。

「竜馬どの、これでいいと思いますか」

お田鶴さまのいうところでは、宮家公卿の家臣が、鷹司家で六人、青蓮院宮家で二人、有栖川宮家で一人、一条家で二人、久我家で一人、西園寺家で一人、そして彼女の仕える三条家で、四人がすでに六角獄舎につながれ、ほかに、梅田雲浜、橋本左内、頼三樹三郎ら、著名の論客が逮捕されている。

「どうお思いです」

「………」

竜馬は不機嫌そうにだまった。この男が不機嫌になるのは、よほど、物事を思いつめたときにかぎる。

「そのお刀を、天下のために役だてるというお気持はありませぬか」

竜馬、二十四歳。

心中すでに、かつてない覚悟がうまれはじめている。

（孤剣、よく歴史を動かしうるか）

ということだ。

これは、武市半平太のように思想や学問からはいったものではない。東海道水口の宿で、悠然と幕吏の縛につい(ばく)た水原播磨介の態度が、いまも眼の底にやきついている。

(男は、あれだ)

とおもった。

竜馬は、この感激から尊王回天の運動に入ったといっていい。それも、竜馬の場合、思想運動ではない。事業である。もともと旺盛な事業欲と天性のその才をもっていた。が、お田鶴さまと再会したとき、まだ自分のその才能には気づいていなかった。

ただ、ぼつ然として、欲望に目ざめた。

「どうなのです」

と、お田鶴さまは、いった。

竜馬は、薄ぼんやりと微笑している。

お田鶴さまは心中やや失望した。

(やはり、この人を見そこなったか)

竜馬こそ、あるいは天が地上に降(くだ)した不世出の大器かもしれぬとおもったのは、最初は姉の乙女であり、つぎが自分であるとお田鶴さまはおもっていた。

「こまったな」

竜馬は、首すじを掻いた。

「なにが、こまるのです」

「照れるわい」

「なにが照れるのでしょう」

「ただ、照れるキニ」

「うふっ」

お田鶴さまは、笑いかけてやっと胸もとをおさえた。この池中の竜のような男が、大きな体をころころにまるめて、えたいの知れぬ羞恥をみせているのが、おかしかったのである。

「竜馬どのには、こまりましたねえ」

「そんなにこまるかなあ」

「男のくせになにがはずかしいのです」

「弁じられん」

「弁じられん？」

「わしの舌が油紙でできちょったら、火さえつければめらめらと燃えもしますが、残念にも生身の舌じゃキニ、そうはいかん。ここで俄か仕込みの志士になって、べらべらと論を吐きだしたら、お田鶴さまのほうがびっくりなさるでしょう」

（ああ、そういうひとなのだ）

お田鶴さまは、急に明るい顔になった。しかし言葉だけは逆に、

「でも、ここで意中を大いに弁じてくださっても、田鶴はいっこうにかまいませんよ」

「まあ、やります」

「やる？」

「武士はそれだけです。坂本竜馬はいずれ機会をみて、天を駈け、地を奔るときがくるでしょう。まあ、待って賜んせ」

竜馬は、柳馬場御池の旅籠にもどった。

その翌日、ふたたびお田鶴さまから使いがきて、封書を手渡した。

——会いたい。

という。指定の刻限は宵八時。

ところも、清水産寧坂の料亭「明保野」である。場所がら、なんとなくなまめいている。

竜馬はその刻限、清水産寧坂を東山にむかってのぼっていた。

風がつよく、無紋の提灯のなかの灯が、消えそうなほどにまたたいた。

松並木の影が黒い。

（ああ）

のぼりながら、ときどき星空をあおぐ。この男なりに、奇妙に胸を締めつける想いがある。いまから逢うお田鶴さまへの想いである。

（恋かな）

わが顔をつるりとなで、そのついでに頰ぺたをつねり、こんどはおっそろしく怖い顔をしてみせた。自分におどけてみせているつもりである。そんなことでもしなければ、この息苦しい一種の甘い悲しみから、のがれられそうにない。

（恋は、きらいじゃ）

心を呪縛するからだ。

（しかし、お田鶴さまは可愛ゆいのう）

竜馬は、うれしそうに提灯をふった。骨のズイから竜馬はお田鶴さまのような勝気で利口で節度立った女性が大すきだった。

（可愛ゆいぞ、のう）

叫びだしたいような気持であった。満天の星が、そういう竜馬を見おろしている。

竜馬は坂をのぼった。

坂をのぼりきれば、東山の一峰である（現在は、維新の志士を祀る京都神社の岡になっており、四季の樹木にうずもれている）。

竜馬は、明保野亭の玄関に立った。

女中が出てきて、不審をおぼえた。

「どなたどす？」

「さあ」

竜馬は、こまった。お田鶴さまの手紙によれば、名は告げずとも、玄関に立っただけで案内をさせるようにしておく、とあったからである。

「お武家はん、お名前は？」

「こまったな」

困ったのは、女中のほうである。こんなきたない浪人者が、これほどの料亭に来るはずがない。

きたない、といったが、これは多少語弊がある。竜馬は、服装はいつも上質のものを身につけているが、それがあとかたもないほど着崩れているのだ。袴のひもはだらりと垂れっぱなしだし、ひだなどは折り目の跡らしいものもない。ばかりか、紋服の袖は、ときどき鼻汁をこする癖があって、白く光っている。

「ああ」

女中は、竜馬の紋所をみた。

「桔梗の御紋はんどすな」

どうぞ、と、上へあげた。

女中は手燭をかざし、廊下を先導して、やがて中庭の南にある離れ座敷に案内した。

そこに、お田鶴さまがいた。

京の男女の密会につかわれる座敷らしく、行燈の形も里御所風で、なまめかしい。

女中が、酒肴を用意した。

用意がおわると消え、それを待っていたようにお田鶴さまは京焼の薄手の銚子をとりあげた。

「どうぞ」

竜馬は、それを吸いもののふたで受け、なみなみと注がせてから、一気にのんだ。

「相変らず、おみごとですね」

とお田鶴さまは笑ったが、竜馬には皮肉にうけとれた。まるで酒だけがみごとな男だといわんばかりではないか。

「剣と酒、いまはそれがしにはこれが一番おもしろい」

「しかし竜馬どのは武士ですから、国事をわすれてはなりませぬ」

「またお説教ですか。お田鶴さまは、京で、公卿や浪人儒者とご交渉なさるから、いよいよお説教にみがきがかかって参りましたな」

「まあ、そうかしら」

お田鶴さまは虚をつかれた様子でしばらく考えていたが、やがて、赤い顔をしてみせた。

「そのようでは、あの」

一瞬、人がかわったようである。

「田鶴はこまるのです」

「なぜですか」

竜馬は、とぼけている。

「そりゃ、女でございますもの」

「しかし」

竜馬は、お田鶴さまの意中がわからぬ様子をつくろい、まじめな顔つきでいった。

「婦人が説教上手でもかまわぬことじゃ。知恩院(ちおんいん)の尼どのは、みなそのようなことをしているそうでござる」

「竜馬どのは、やはり、ばかでございますね」

「ふむ?」

「尼さまとおなじだといわれてよろこぶおなごはありませぬ」

「しかし、説教をなさるために、きのうもきょうも、拙者をおよびになったのでしょう」

「きのうは、そうでした」

「きょうは?」

「田鶴は、あの、女として……」

と、お田鶴さまは、次のことばがすこし刺戟的すぎるとおもった。しばらく言いだしかねていたが、急に怒ったような顔になった。

「竜馬どのはやはりばかですね」

（またか）

さすがの竜馬もだんだん腹がたってきた。

「ばかばか、ちゅうのは、拙者は子供のころから聞き倦きちょりますが、こう矢継早やにいわれると、よい気持が致さぬものでありますな」

「だって、ばかでございますもの」

「ほんとうに馬鹿かな」

竜馬は考えこむふりをしてみせた。というのは擬態で、じつは腹が煮えている。お田鶴さまは、くどすぎるではないか。

「どこが、ばかじゃ」

「そこが」

お田鶴さまはくすくす笑って、

「ばか」

といった。その、竜馬を見つめている笑顔が、竜馬が眩暈がするほどあでやかにみえた。

竜馬は立ちあがった。

（ばかかどうか、みせてやる）

ひどく怒った顔をしている。それが、つまりこの馬鹿問答が、この場のお田鶴さまと竜馬の息づまるような男女のなまぐささから、救ってくれた。

やはりお田鶴さまは利口なのだろう。

竜馬は、いきなりお田鶴さまを抱きすくめた。

お田鶴さまは、さからわない。


一刻がすぎた。

竜馬は、真暗な部屋をぬけ出して、中庭の濡れ縁にすわった。

庭に、京好みな織部燈籠が一つ。

それだけが、天地のあいだに灯を点じてまたたいている。

背後の部屋で、お田鶴さまが身づくろいをしている忍びやかな物音がきこえた。

(とうとう、恋が本物になったわい)

しかし、藩士のなかでも人扱いもされぬ郷士のせがれと、山内家二十四万石きっての名家である福岡家の姫とが、この世で、このさき、どう結ばれてゆくのであろう。

それをおもうと、竜馬は、こめかみが痛くなるほどに、心胆が重くなる。

おそらく、いま部屋のなかにいるお田鶴さまも、おなじ心境であろう。いや、女のお田鶴さまにとっては、このおもいは、もっと必死なものかもしれない。

(わしはばかじゃ。詮ないことをした)

竜馬は、織部燈籠の灯をみつめながら、われにもなく、濡れ縁に、どさりと尻餅をついた。

このときである。

庭の植込みが、わずかに動いたのは。

竜馬はすばやく脇差から、小柄をぬきとっている。

(密偵か)

そういう勘がはたらいた。

と思うとすぐ、真暗な部屋のなかにもどり、おどろくお田鶴さまに低声でいった。

「庭さきに、妙なのが潜んじょります。密偵じゃと思うが、こういう時勢じゃ、お田鶴さまにはお心当りがおありですか」

「たしかですね」

お田鶴さまは、闇のなかですわっている。

「心当りは、ございますけど」

なにしろ、お田鶴さまの仕えている三条家については、人の出入りを京の所司代役人が、鵜の目鷹の目で見張っている。お田鶴さまのことだからよほど用心して屋敷を出たにちがいないが、それでも密偵につけられてしまっていたのかもしれない。

「それに」

と、お田鶴さまはいった。

「三条家の屋敷を見張っている目明しの文吉という者の手先が、お屋敷の近くで殺されたのです」

藤兵衛がやった例の一件だ。

が、竜馬は藤兵衛が口をつぐんでだまっていたから知らない。

「だから、このところ、とくに監視(みはり)をきびしくしているのでしょう」

「ふむ」

竜馬の頭はいそがしくまわった。自分はともかく、お田鶴さまがここにいるというのを密偵に知られてはまずい。

「この場は、拙者にまかせてください」

すぐ、料亭の女中をよび、なけなしの財布から銀を何枚かとりだして、

「今夜、そなたとわしがいい仲じゃ。唄はうたえるか」

「へたどすけど」

「三味はわしが弾く。なんの、これでもうまいものだぞ」

庭の植込みに身をひそませていたのは、お田鶴さまの察したとおり、目明し文吉の手先である。

が、この手先は、とくにお田鶴さまがめあてでもなく、とくに竜馬がめあてでもなかった。京の幕吏はすでに、この清水産寧坂の「明保野亭」が、尊攘運動家の密会場所につかわれていることを知っていて、常に張り込みをおいていた。そういう役目の男であ

る。

男は、座敷がぱっと明るくなったのをみて、

（おお）

と及び腰になった。

やがて、しめやかな爪弾きの音がきこえ、それにあわせて陽気な女声がきこえてきた。三味線をひいているのは竜馬で、唄っているのは、明保野亭の女中である。

（なんとにぎやかな客じゃな）

竜馬は、三味線をひきながら、ひくい声でお田鶴さまに指図している。

「このあいだに、裏口から出なされ。ここの女将が駕籠をよんでくれているはずです」

「わたくしだけが？」

お田鶴さまが、不平そうな顔をした。ひとりではいやだ、というのだ。

「いや、なまじい、武士の連れがないほうが怪しまれなくて済みます。それに、いくら幕吏が横暴でも、婦人には遠慮をしましょう」

「いいえ、近衛さまの老女津崎村岡どのの御身辺もあやうい（この翌年正月逮捕）とのことでございます」

（なに、お田鶴さまはだいじょうぶだ）

竜馬はそう思うのだ。すでに竜馬は京の情勢を見ぬいている。というのは、こんどの検察網にかかったのは、主として将軍継嗣問題で動いた連中と、攘夷密勅降下の工作を

した連中ばかりで、お田鶴さまが、いくら姉さまぶってえらそうにいっても、そこまでの策謀には参画していないから、幕吏は手を触れまい。ただ、お田鶴さまの動きを通して、他の大物の動静をさぐろうとしていることはたしかだろう。

「さあ、早く」

「いや」

駄々をこねている。

竜馬と一緒でなければいやだというのである。ところが一緒では、せっかくのこの竜馬の策戦が無に帰するのだ。

「お田鶴さま、お行きなさい」

「ここにいます」

お田鶴さまは、すわりこんでしまった。竜馬は、お田鶴さまの微妙な女心などはわからないから、

(ばかはわしだけではないなあ)

とおもった。

「では、居なさい。それでは、せめてその庭先の密偵に安心してもらうために、夜明しで三味を忍び弾いて遊びましょう」

そこまでは、よかった。

竜馬が妙な運を背負ってしまったのは、このとき寝待ノ藤兵衛が、明保野亭に近づき

つつあることだった。

藤兵衛は、竜馬のもどりがおそいので、気になったのだろう。この男の忠義ごころなのだ。ところが藤兵衛の背後には、すでに目明し文吉のひもがついている。

文吉は、例の手先殺しの下手人は藤兵衛ではないかと思い、すでに柳馬場の宿もつきとめ、藤兵衛が「旦那」と称している土佐藩士坂本竜馬の名も記帳してしまっている。


その夜、目明し文吉は、所用あって祇園の町会所に詰めていたが、東山に月があがったころ、手先の一人がカラリと表障子をあけて入ってきて、

「親分、例の江戸の薬屋が」

と、声をひそめた。

「薬屋が？」

「へえ、やっぱりおめがね通りどす。素ぶりが怪しおすぜ。柳馬場の旅籠を出やがったのはほんのさっきやが、あれは江戸者にしては京の町に明るすぎる」

「とは？」

文吉は眼を冷たくした。

「いや、露地を知りすぎている、と思うのどす」

京は露地が多い。

どの露地が袋小路で、どの露地が何町にぬけられるかを藤兵衛はよく心得ていて、そ

の露地をたくみに縫いつつ町木戸のない場所をえらんで東山のほうに歩いている、というのである。町木戸を通らぬ、というのが、どうもくさい。

「野郎、素人やないな」

と文吉は、みた。

「ぬからず、あとを追うてるか」

「へえ。銀蔵と芳次が闇をなめずるようにしてあとをつけています」

「薬屋め、どこにいくのやろ」

「さあ」

「ところで、野郎、例の侍とは一緒か」

「いや、侍のほうは、宵に出かけたきり、旅籠にはいまへん」

「とにかく」

文吉は、十手でかまちをたたいた。

「変わったことがあったら報らせ。わしはここにいる」

それから四半刻(しはんとき)ほどして、(例の薬屋が、清水産寧坂の料亭明保野のまわりをうろうろしている)という報らせが入った。

「そうか。明保野亭なら、いつも政のやつが見張っている。様子によっては召捕ってやろうか」

文吉はもう往来に出ていた。

そのころ、明保野亭では、竜馬は、

——なんの用だ。

と、立ちあがっていた。女中が、「お供が参っております」と告げたのである。いそいで玄関まで出てみると、寝待ノ藤兵衛が土間で神妙にひかえている。

「なんだ、お前か」

「いや」

藤兵衛は、恐縮がった。

「お顔をおがめれば、それでいいんで」

「なにかあったのか」

「別になにもございませんが、妙に宵から虫が報らせるような気がしたんで、ついここまでやってきたんですが、いや、そのお元気そうなお顔をおがめればそれでいいんで」

(——？)

竜馬は、門の外をみすかして見た。なにか、人影が走ったような気がしたのである。

「藤兵衛、早くあがれ」

すぐ、あき部屋に藤兵衛をつれこみ、

「お前のあとを、人がつけている。心あたりがあるか」

と、いった。

「人が？」

藤兵衛は、さすがに蒼くなった。いっそ手先殺しの一件を竜馬に打ちあけてしまおうと思い、

「お耳を」と、にじり寄った。

「殺したのか」

竜馬は、むっつりと押しだまった。

部屋には、灯(あかり)がない。障子から淡く月光が射しこんでいるだけで竜馬の表情までわからなかったが、あきらかに不機嫌なことは、藤兵衛の眼にはわかる。

「旦那」

藤兵衛は、次第に体を前にかたむけてゆき、やがて両手で畳をさすった。

「仕方がなかったんだ、あのさい。——殺(や)らなきゃ、旦那のやどまで露(ば)れてしまう」

「たったそれだけの理由で、人間一ぴきを殺したのか。生きものに愛(いと)しみを持たぬやつはろくでなしだぞ」

「だって、旦那は、人殺しの術をつかう剣客じゃござんせんか」

「武士の剣はべつだ。武士の剣には、千年のあいだ、剣というものについて考え考えぬいてきた義と理と法が背景にある。つまり武士道というものだ。これだけが世界にほこるべき精神の巨嶽だとおもえ。武士はそれによって人を斬り、ときにはおのれを斬る。盗賊の殺人とはおのずからちがう」

「勝手なもんですねえ」

藤兵衛は、すねた。

「侍ての は元来勝手なもんだと思っていたが、旦那までがそうだとは知らなかった。言っときますがね、あっしだって道によって殺ってますよ」

「なぜだ」

「その前に伺いますが、旦那は尊王攘夷でがんしょう?」

「まあ、そうだ」

お田鶴さまに、そのために奮迅努力せよといわれている。

「とすれァ、あの目明しの手先は、敵じゃござんせんか。いわば朝敵だ。あっしはそういうところから殺っている」

「まあいい」

問題は、この場をどう脱出するか、である。捕吏がすでにこの産寧坂の料亭をとりまいているだろう。藤兵衛の心ない殺人が、竜馬を、好む好まぬにかかわらず、尊王攘夷のはげしい時代の潮流のなかに追いこもうとしている。

(やるか)

立ちあがったとき、竜馬の血がはげしく流れた。今夜、生き胴の一つや二つは斬りすてるはめになるかもしれない。

「藤兵衛、二手にわかれよう。お前は、できるだけ派手に逃げてくれ。その道の職人だからへたにはつかまるまい。方角は、坂の上へ上へと逃げて、最後には東山の山中にまぎれこみ、峰を越えて山科（やましな）に降り、くだって伏見に出るがよい。伏見では船宿の寺田屋で落ちあおう」

「ようがす。旦那は？」

「裏口から出る」

竜馬は、藤兵衛を玄関から放つと、すぐお田鶴さまの手をとって、裏口から出た。三条家へ送りとどけるためである。藤兵衛は山へまぎれこめばそれだけでたすかるが、竜馬は市中へ入らねばならぬ。危険が多い。

八坂ノ塔を通って、どんどん坂をおりてゆくと、地蔵堂がある。

そこから人影が一つ、吐き出されてきて、背後から静かに声をかけた。

「坂本の旦那」

目明し文吉である。お田鶴さまはそれと気づいて竜馬の手をぐっとにぎった。

お田鶴さまは竜馬の耳もとですばやく、

「この者です、目明し文吉と申す悪党は」

とささやいた。

竜馬は動じない。

だけでなく、大またで文吉に近づき、

といった。文吉が、ぎょっ、としたのは、竜馬の声が度はずれて大きかったからである。このあたりには人家が多い。おそらく雨戸から滲み通って目をさました者もあるだろう。

「そうどす」

気をのまれて、低音になった。

「わしは、土佐藩士で坂本竜馬。そちがいま問いかけたとおりの者である。なおこれにおわすは、三条卿の御裏方信受院さまお付の侍女にて、本国土佐にあっては、われらが主筋にあたられるお方じゃ。無礼あっては承知せぬぞ」

「へっ」

文吉は軽く頭をさげて、しかしふてぶてしく、

「さきほどは、明保野亭にいらっしゃいましたな」

「よく存じておるな。わしは江戸から国もとへ帰る。途中、京に立ちより、これなる主筋のお人の御機嫌をうかがった。文吉」

「へい」

「提灯を持たんか」

「ございます」

「灯を入れてお屋敷まで御先導申しあげろ」

「しかし」

文吉も、気を呑まれっぱなしではない。

「よろこんで御先導申しあげますが、旦那にちょっとおうかがい申しあげたいことがございます」

「まず、灯を入れろ。みちみち、聞く」

文吉は仕方なく提灯に灯を入れた。そのときはすでに竜馬は歩きだしている。文吉は左後ろに添って歩いた。抜き打ちを用心してのことだ。

「旦那、お供はどうなさいました」

「供？」

「ほら、柳馬場で御同宿の」

「ああ、あの薬屋か」

「ただの薬屋ではございますまい」

これが、文吉の本題である。

「ただの薬屋だよ」

「おかくしになっては、旦那のお身分にさわることになりますえ。わしのみるところ、あれは道中師か、それとも……」

「さすがは稼業だ、よく見た。あれは京へのぼる途中で同行した男だが、少々手癖がわるい。それを理由にたったいま放逐したばかりだ」

「どこへお逃がしになりました」

「逃げたのよ」

「旦那」

文吉はちょっと凄んですり寄ろうとしたが、竜馬が不意にコジリをあげたので、はっと飛びさがった。

「悪戯なすってはこまります」

「あの男も同様だ。わしが成敗しようとしたので素っとびに逃げた。それだけのことだ。わかったろう。文吉、足もとが暗い。そうおびえずに、もそっと、提灯を前に出せ」

「このくらいでございますか」

「そうだ。ちょうど、斬りごろだな」

「げっ」

「臆病な男だ」

その調子で、三条家の屋敷までのあいだ、町木戸を一々文吉にあけさせて、堂々とお田鶴さまを送りこんでしまった。

風雲前夜

竜馬は、大坂で寝待ノ藤兵衛とわかれて、単身土佐へ帰った。

藤兵衛が国もとまでついてこなかったのは遠慮したのである。

——あっしみてえなのがお供について帰っちゃ、せっかくのお国帰りの錦がよごれます。

そんなしおらしいことをこの男はいった。ひとつには、この男がついていると、どういうわけか事件が多い。竜馬に迷惑がかかりどおしなものだから、しばらく身をつつしむつもりだった、というのが本音かもしれない。

竜馬にとって、江戸出発以来、二度目の帰国である。

こんどは、当代第一流の剣門といわれる北辰一刀流千葉門の免許皆伝を得て帰っている。せまい城下では大変な人気であった。

「なにしろ」

と、兄の権平は大いばりであった。

「江戸の大道場で免許皆伝をもらったのは、このところ、武市の半平太ばかりじゃキニ、まずは坂本一門のほまれじゃ。わしゃ、城下の町々を歩いていても、肩で風がぶんぶんうなっちょるぞ」

といった。

その武市半平太は、すでに帰国していて、城下で郷士、徒士など軽格どもに剣術、学問をおしえ、「瑞山塾」といえば、すでに土佐一国でもっとも人気のある私立学校になっている。瑞山とは武市の雅号のことだ。西郷吉之助（隆盛）を南洲、桂小五郎（木戸孝允）を松菊というようなものである。もっとも竜馬は、終生雅号などはつけなかった。

「なあ、竜馬」

と、兄の権平は、帰国早々にいった。

「お前も、半平太に負けずに剣術塾をひらけ。オシサン（お師匠さん）になるんじゃ。城下の目ぬきに土地を求め、りっぱな道場をたててやるぞ」

「いや、半平太は半平太です。わしにゃ、チクと考えがある。それまでは、なにもせんとぶらぶらしちょります」

「ぶらぶら」

権平は不満であった。

「この無愛想者（すぼっこ）め。兄が道場を建ててやるちゅうのは、次男坊（ひやめし）にとっちゃ、法外な仕合せじゃ。チト、物よろこびせい」

「いや」

竜馬は考えこんでいる。

「まだ人には教えられん」

「千葉門の塾頭をつとめたお前じゃろ。大人（おせ）らしゅうなりくさって、謙遜のまねごとをなしくさる。すこしゃ、自慢（たぎ）れ」

「いや、兄（にい）」

「なんじゃ」

「わしゃ、学問をしようかと思うちょるんでおじゃりますわい」

「が、がくもん？」

これには、権平も爆笑した。

「竜馬、お前が学問かよ」

「学問は必要じゃとわかった。古今の書を読み、かつ西洋の書も読みたい。読んで、わしがこの手で、こんな腐った天下をなんとか動かしてくれようと思うちょります」

「天下を？　この法螺坊主め」

権平はなお、うふうふと笑いつづけたが、急にわらいやんで、

「お前、もはや二十四ぞ。女房（なな）をもらわなにゃならん年ごろぞ。その年になって、学問

とは遅すぎるわい。それに、師匠はたれにつくんじゃ」

「自分でやる」

断乎として、竜馬はいった。竜馬は、教育者に不信の念をもっていた。幼少のころ、こりている。かれらは、他人を採点し、侮辱し、いたずらに劣等感のみを植えつける存在ではないか。竜馬は幼少のころの劣等感からぬけだすために、どれだけ人知れず悩んだか。


帰国して三日目に、竜馬は、播磨屋橋を東へわたって、新町田淵町（しんまちたぶちちょう）という、町名の二つかさなった城下の町に出かけた。

そこに、武市半平太の「瑞山塾」がある。

武市の屋敷というのは、城外五台山のちかくの吹井（ふけ）という田舎にあるのだが、村では諸事不便だから、妻の実家が城下にあるのをさいわい、そこを改造して、私塾にしているのである。

門を入ると、そこここに塾生らしい若者がいる。盛大なものだ。わざわざ武市の塾に入るために土佐七郡のすみずみからやってきて下宿をして通学している者が多い。

「顎（あぎ）（あごの方言。竜馬がつけた武市のあだな）はいますかいの」

と、竜馬は塾生のひとりにきいた。

「あぎ？」

「半平太のことです」

「あなたは？」

塾生は、じろじろとこの無礼な来訪者をみた。

「法螺（武市がつけた竜馬のあだな）じゃというてもらえばわかります」

「ああ、あなたは坂本先生」

塾生は横っとびになって玄関へかけこんで武市に報らせた。

武市はおりから日本外史の講義中であったが、すぐ書を閉じ、

「諸君、朋友（とも）がきた。迎えたうえで再び講義をするから、待っていてもらいたい」

と、立ちあがった。

そこが、武市の律義さなのである。いかに不意の訪問客でも、しかもそれが親しい竜馬であっても、この男はちゃんと玄関に迎えに出て、あいさつをする。

「おう、帰国（かえ）ったか」

竜馬はもう、式台にあがっている。どんどん奥へ入りかけたから武市はあきれて、

「竜馬、いま講義中だぞ」

「いつ済む」

「まだ小半刻（こはんとき）はかかろう」

「待っちょる」

「そうしてくれ。そのあいだ富子にいいつけておくから酒でものんでいてくれ」

「富子とはなんじゃ」

「女房じゃ」

と、武市はいった。

なるほど、武市が女房をもらったことは竜馬もきいていたが、拝顔するのはいまがはじめてである。

武市は居間に富子をよび、

「これじゃ」

と、ひきあわせた。小柄で、高知城下でもちょっとめずらしいほどの美人であった。夫婦仲は、塾生のあいだでも評判になるほどいいらしい。

「富子でございます」

と頭をさげてから、竜馬をみた。竜馬はぺこりと頭をさげた。

やがて講義がすんでから武市がはいってきて、江戸でのはなし、高知城下の最近のことなどを語りあい、

「さて竜馬、なんの用じゃ」

「わしはの、学問をするんじゃ。なんぞよい本はないか」

「ほう、竜馬が学問を」

それは結構だ、と普通なら調子をあわせるところだが、武市はそうはいわない。慎重

な男である。例のながいあごをなでながら、

「竜馬が学問をのう」

と、くそまじめな眼で、竜馬の顔をみた。

「不服か」

「いやいや、そうではない。心中、その年で学問とは、と感服している。しかしほどほどがよかろうな」

「なぜじゃ」

「お前の生れつきの珍しさが、学問でうすれるかもしれぬ」

「なんのことじゃ」

竜馬にはわからない。

竜馬の学問の一件については、のちの竜馬の同志で、土佐藩の若手きっての学者だった平井収二郎（号隈山）が、その妹加尾に書きおくった手紙に、こうある。

――（前略）もとより竜馬はひとかどの一人物なれども、書物を読まぬゆゑ、時にしては間違ふこともござ候へば、よくよく御心得あるべく候。

竜馬の考えや行動は、独創的すぎてときに定石をはずす危険がある、あれの煽動に乗るな、という意味である。

また肥後藩出身で、学才天下に知られた横井小楠は、のち竜馬にあい、その天賦の器量に感心したが、ただ、

——坂本君、君は一つちがえば乱臣賊子になるおそれがある、ご注意あれ。

といった。その才、行動、独創的すぎるというのであろう。

この時代の「学問」というのは、こんにちの学問、つまり、人文科学とか自然科学とかいったものと、言葉の内容がちがう。哲学、という意味である。というより、倫理、宗教にちかい。要するに、儒教である。教養の中心は、人間の道の探究と、それをまもることにあるのだ。孔子を教祖とし、それに中国、日本の先哲がのこした名言を学ぶ。学ぶだけでなく、踏みおこなう。

囲碁、将棋でいえば、定石である。これを絶対のものとして学び、それから踏みはずせば「乱臣賊子」であり、「時にしては間違ふこともござ候へば」となる。だから、この時代の学問とは、倫理道徳、みなおなじ型の人間をつくるのが、最高の理想である。「乱臣賊子」ができれば、封建体制はくずれてしまうのだ。幕府、諸藩が、その藩士にやっきになって「学問」をすすめたのは、その理由からである。

武市半平太は、剣でも一流だが、学問でもこの男の右に出るのは、土佐藩参政吉田東洋ぐらいのものである。

が、半平太の普通人でないところは、学問の害をも見ぬいていた。せっかく型破りにうまれついてきた竜馬が、腐れ学問でただの人間になってしまうのは惜しい、とおもったのである。

「そういうことだ」

と、武市は右の次第を説明し、

「やるもよいが、ほどほどにすることだ」

と、いった。竜馬も、そのことはわかっている。しかし「学問」をせねば、人と議論をしたり、考えたりするときに、用語が少なくてこまるのである。学問には、その利がある。

「わかっちょる。お前のいうことはみなわかっちょる。だから、たいして根を詰めて学問はせぬ。しかし、これだけは読め、ちゅう書物があろう。それを教えい」

「たいへんな学問だな」

さすがに武市もあきれたが、しばらく考えてから、

「やはり歴史を読め」

といった。武市の説では、歴史こそ教養の基礎だというのである。歴史は人間の智恵と無智の集積であり、それを煮つめて醱酵させれば、すばらしい美酒が得られる、と武市はいうのだ。

「史書か。そうか。しかし、日本外史とか史記とかというもんは、乙女あねの講義でさんざんに読まされたぞ」

「では、シジツガンを読め」

「なんじゃそれは」

「資治通鑑じゃ」

中国の史書である。

古代帝国の周の威烈王からかぞえて千三百年間の中国史である。著者は宋の学者司馬光で、これを編むのに十九年の歳月をつかい、二百九十四巻に仕上げた。

中国の史書の書きかたには、ふたとおりある。人物伝中心の「紀伝体」と、時の流れを忠実に追ってゆく「編年体」とがあるが、これは、「編年体」の最大の傑作といわれる。

「よし、そのシジツガンを読む」

「読めるか、訳註をしてくれる師匠が要るぞ」

「師匠？」

竜馬はあきれた。

「そんなものが要るのか」

「要るとも。おれがなってやろうか」

「半平太づれに」

と竜馬はいった。

「教わらん。教われば半平太と似た人間ができるばかりじゃろが」

「それでは、どうする」

「自分で読むばかりじゃ」

と竜馬は相好をくずし、

「おれは剣術だけは師匠についたが、学問は、べつに学者になろうとは思わんから、師匠はいらん」

「こいつ、学問のこわさを知らぬな」

「知ってたまるか」

わっ、と笑った。

「知れば、小心翼々たる腐れ儒者ができるじゃろ」

竜馬は辞した。

門を出ると、すぐ武市家の塀にむかって小便を放った。

べつに遺恨があるわけでもなんでもなく、尿意をもよおしただけのことである。竜馬には、尿はかわやで行なうもの、という法がないようであった。

これが竜馬の癖になった。武市家へ訪れるたびに、帰りはこの塀でやる。武市は、謹直で作法のやかましい男だし、女房の富子は、きれいずきで通った女である。

塀のその部分だけが、ひどく臭くなった。

ある日、富子はこまって、半平太に苦情をいった。

「坂本さまはいいお人で、来てくださるのはうれしゅうございますけど、あれだけはおよしになるよう、おきかせねがえませぬか」

「いや」

と武市はいった。

「あいつはあいつなりの法で諸事やらせておけ、やがてどんな漢になるか」

——竜馬が書物を読んじょる。

といううわさが、城下の若侍のあいだにひろがったのは、それからほどもないころである。

物見高い土地柄だ。これという娯楽のない城下だから、知人のうわさがすべて酒のサカナになる。おたがいみな劇中の人物である。

それに、伴奏まで入る。土佐の風で、そのときどきのうわさを巧妙に唄に織りこむのである。それを、若侍が二、三人群れては、当人の門前を唄い流してゆく。

武市咄に坂本竜馬
　本をさかさに論語読む
「馬鹿にしちょる」

竜馬は、門前の唄に失笑したが、それでも毎日ひきこもって、例の「資治通鑑」を読んだ。しかも、白文である。

送りがなも返り点もついていないから、竜馬の学力にはちょっと無理だったが、この男には、一種の天才があった。

大づかみに、意味はわかるのである。竜馬の意見では、意味さえわかればよいではないか。

「一度、竜馬の学問を見物にゆこう」

と、若侍たちが寄り合った。

のちに土佐勤王党で働いた大石弥太郎ら三人が本町筋一丁目の坂本屋敷にやってきて、竜馬の部屋をたずねた。

なるほど神妙に書見している。

「竜馬、さあ、読んでくれんか」

「読んじょる」

と、竜馬は落ちついていった。

「声をあげて読んでくれ」

「ふむ」

竜馬は、音吐朗々と読みはじめた。三人は顔を真赤にして笑いをこらえている。竜馬はどんどん読みすすめる。

文法も訓読法もなにもあったものではない。無茶で我流で意味もとおらず、まるで阿呆陀羅経をとなえているようなものであった。

ついにこらえかねて三人は大笑いした。

「笑うとは無礼ではないか」

竜馬も仕方なく笑っている。

「しかし、竜馬」

みな、畳の上をころげまわった。

「タマルカ」

「タマルカ」

そううめいている。これが辛抱できようかという意味である。

「竜馬、それでは意味がわかるまい」

「意味ならわかる。まあ、そこで聞け」

と、竜馬は、漢の高祖劉邦(りゅうほう)が、沛(はい)という田舎町のあぶれ者の群れのなかからおこって秦帝国をほろぼすまでのくだりを二時間にわたって講義した。

それがいちいち正鵠(せいこう)を射ているので、大石らはだんだん気味がわるくなってきた。

「もうよい、竜馬。いったい、読めもせんで意味ばァ、わかるちゅうのは、どういうわけじゃろかなァ」

「わからん。わしは文字を見ちょると、頭に情景が絵のように動きながら浮かんで来おる。それを口で説明しちょるだけじゃ」

ふしぎな才である。

このころ、こんな話がある。

(洋学も学ばにゃ、ならん)

と、竜馬はだいそれた野望をおこしたのである。

「洋学。——」

武市半平太もおどろいた。武市は漢学、国学に造詣がふかいが、洋夷の学問まではやっていない。第一、きらいである。洋夷などは、思うだけでも不潔で、四足獣とえらぶところがない、と武市は断定している。これが、俊才武市の限界であったが。

しかし親切な男だから、竜馬の相談には乗ってやった。

「これは師匠(おしさん)が要るじゃろ。ちょうどお前(まん)の乙女姉さまの婿どの(岡上新輔)は、長崎で蘭学を修めたひとじゃ。それにつけ」

「就(つ)かん」

義兄の岡上新輔は医者である。尊敬すべき学者だが、しょせんは、竜馬の知りたいことを教えてくれる人ではない。

竜馬は、世界のことが知りたい。万里の波濤を蹴ってこの極東の列島帝国まで黒船を派遣してくる「西洋」というものがふしぎでならなかった。

それは、子供のように無邪気な好奇心であった。この好奇心があるために、武市半平太のように、頑固な、

——天皇好きの洋夷ぎらい。

には、なれなかったのである。

「されば、たれに就くのじゃ。この城下には蘭学者などは居やせぬぞ」

「一人いる。蓮池町（はすいけまち）の河田小竜老人じゃ」

「小竜。あれはお前、絵師ではないか」

「絵師、絵師」

「絵師づれになにがわかる」

武市はめったに人の好ききらいを言わぬ男だが、この河田小竜老人だけはきらいで、その門前さえ、

——汚れる。

と称して通らず、その方面へ行ってもわざわざまわり道をする。

河田小竜は、狩野派の画家で、藩のお抱え絵師であり、士格の待遇をうけている。屋敷は塾を兼ねているが、門弟はさほど多くない。

小竜は、ちょっと変わっている。

警世家であった。攘夷論者をあざけり、日本は開国してどんどん外国の文物をとり入れねばならぬ、といっている。その点、急進的な勤王派と肌があわなかった。武市がきらっているのは、この点である。

小竜は、一見識がある。

というのは、この老人は、大そうな著書があるのだ。「漂巽紀略（ひょうそんきりゃく）」という。巽（そん）とは夕

ツミの方角（南東）のことで、日本からその方角には、アメリカがある。書名の意味は「アメリカ漂流記」ということである。

小竜がアメリカに行ったのではなく、漂流したのは、土佐の漁師万次郎で、十一年間アメリカを流浪して帰国した。

この万次郎から小竜がきいて書いたのが、右の本である。この小竜の著書によって竜馬ら土佐人は、おぼろげながらアメリカというものを知った。

それだけではない。

小竜は、藩命により、砲奉行池田観之助、砲術指南役田所左右次らとともに、当時、日本の諸藩のなかで唯一の先進藩だった薩摩藩にゆき、鹿児島城下に新設された反射炉やガラス工場、旋盤などの工作機械、大砲工場、造船所を見学している。新知識である。

竜馬は、絵師河田小竜に会いに行った。

蓮池町の河田邸というのは、小さなせせこましい家で、そこにはいつも画学生が五、六人はたむろしている。

その一人が、取りつぎに出た。

「あっ、これは坂本さま」

と、大きなまんじゅう鼻をひろげた。べちゃ鼻の多い土佐人にしてはめずらしく鼻が大きい。水道町二丁目に住む長次郎という若者である。饅頭屋のせがれで、鼻まで商売物のまんじゅうに似ている。大変な俊才で、ほどなく藩から帯刀をゆるされ、のち脱藩して竜馬の子分になり、海援隊士となって、姓名も上杉宋次郎または近藤長次郎となった。が、これは数年後のはなし。

「なんだ、饅頭屋か」

この若者が、小竜の門人であることは竜馬も知っている。

「なんぞ、御用でございますか」

「おれも弟子になりたい、と先生に伝えてくれんか」

「あなた様が？」

饅頭屋はびっくりして奥へひっこんだ。

師匠の小竜は気むずかしい男だ。ちょうど絹布をのべて絵筆をとっていたが、

「なんじゃと？」

と、筆をとめた。

「本町筋一丁目の剣術使いが、絵師になりたいというのか。そんな物騒なやつに絵なんぞ教えられれん。追っぱらえ」

そのころ竜馬は、無断で玄関にあがり、いきなり画室のふすまをあけた。

「絵を教えてくれとはいうちょりません。アメリカ事情や薩摩の西洋機械のはなしをききたいと思って参上したんじゃ」

「こ、こいつ」

小竜は絵筆を捨てた。

「他人の屋敷を道ばた同然と心得ちょる。なぜ断わらんかい。饅頭屋、この剣術使いをつまみ出せ」

「はっ、しかし」

饅頭屋は閉口して、竜馬の顔をちらり、盗み見た。

「私には、つまめませぬ」

「ふむ。……」

と竜馬も、気まずくなってしまった。この男のことだから別に無礼を働いたとも思わずにどんどん入ってきたのだが、小竜がこんなに立腹すると思ってなかった。

「饅頭屋、きょうは日がわるい」

と、頭をかいて、

「また来るわい。それまで、たんとなだめておいてくれ」

玄関まで出た。

饅頭屋はあとを追ってきて、

「坂本さん、先生はああいう人です。気をわるくしないでください。ところで、うわさにきいたのですが、坂本さんは蘭学を学ぼうとなされちょるのでございますか」

「まあ、それもある」

「では、私がいい先生を御紹介します。明朝お誘いにあがります」

「よし、お前にまかせた」

翌日、饅頭屋がたずねてきて、おなじ蓮池町に住む長崎帰りの医者のもとにつれて行った。これも饅頭屋の師匠である。饅頭屋は学問好きで、武芸以外のいろんなものを学びちらしているらしい。

蘭学者は、ねずみのような顔をしていた。

この蓮池町の蘭学者の名前は、残念ながら伝わっていない。

蘭語を教えて、食っている。

人物はさほどでもなかったらしい。

竜馬は、べつに師として感服する気にはなれなかったらしく、

——ねずみ、ねずみ。

とあだなで呼んでいた。師としての風格をもたぬ教師ほど、世にみじめなものはない。教授日には、客間が、人いきれでむれるほどに塾生でいっぱいになる。たいていは、医者を志している若者が多かった。

竜馬は、いつも末席にあぐらをかき、ふすまにもたれて、まるで鳥のさえずりのように蘭語をきいていた。

ときどき、ふんぞり返りすぎて、ふすまが倒れることがあった。

そのたびに、ねずみは、いやな顔をした。

（この能なしの剣術つかいめ）

と、師匠もおもったことだろう。

ただ一つ、竜馬にとってねずみが気に入っていることは、蘭語の教科書に医学書をつかわず、法律概論の書をつかっていることだった。

ねずみは、一介の語学教師だから、べつに意図があってそれを教科書に使っていたわけではあるまい。たまたま、法律概論の書が手に入っただけのことだろう。饅頭屋など熱心な塾生は、その師匠がもっているたった一冊の教科書を筆写して、つかっている。

竜馬は、語学者や通弁になるつもりではないから、そんな面倒はしない。ねむるがごとく半眼をとじて聴いている。

ねずみの翻訳は、なかなか面白い。

オランダには、将軍や大名や武士などはおらず、議会というものがある。憲法というものもある。これは、竜馬のこの時期からさかのぼる十年前の一八四八年に発布されたもので、きわめて自由主義的色彩の濃いものである。

竜馬にとって大驚異であったのは、その憲法というものが、国の最高のとりきめであり、国王といえどもこれに服せざるを得ず、さらに議会が国政の最高の権威で、法律をきめ、内閣を人選する。しかもその議会をつくりあげるのは、人民の選挙である、という点であった。

それだけではない。

政治というのは人民の幸福のために行なうという建てまえが、竜馬をびっくりさせた。日本では、政治は、徳川家や諸大名の繁栄とその勝手都合のためにあるのだということは、上は将軍から、下は百姓にいたるまで信じてうたがわない。天皇好きの武市半平太や、倒幕論者の桂小五郎さえ、百姓町人のために奮起する、という気持はもっていない。

(おどろいたなあ)

本当かい、と眼をこする思いであった。

他の塾生は、懸命に、文字の綴りを記憶することに熱中したり、物真似の猫八のように発音をくりかえしくりかえし勉強しているが、竜馬だけは、末席で鼻毛をぬきながら、そんなことばかり感心していた。

竜馬のこのときの感動が、日本歴史を動かすにいたるのである。

この蘭学塾のふまじめな聴講生だったころ、竜馬にこんなはなしがある。

ある日、師匠のねずみは、オランダの政体論についての一文を、逐条翻訳した。訳がおわるころ、いつもながら居眠ったような姿で膝小僧を抱いている竜馬が、急に顔をあげ、

「いまの訳、間違うちょります」

といった。

塾生は、みなおどろいた。蘭語の一語もおぼえようとしないこの剣術使いが、いきなり先生の誤訳を指摘したのである。

師匠のねずみは、みるみる真赤になって、

「どこが、間違うちょる」

ときりかえした。竜馬は気の毒そうな顔をして、

「間違うちょるから、間違うちょる。どこが間違うちょるかわからんが、ただずっと間違うちょる」

「お前のいうことはわからん」

「わからんことはない」

「師匠を愚弄するか」

「なかなか」

竜馬は、こまったな、という顔つきで、

「もう一度、よく原文を読んでくだされ」

とたのんだ。

が、何度もこのねずみの塾で、ねずみの粗末な蘭文和訳をきいているうちに、西洋の議会制度というものがわかったのだ。竜馬には「資治通鑑」のときもそうであったように、ものの大意を大づかみにつかみ、その本質をさぐりあてる才能がある。

いまのねずみの翻訳では、竜馬がカンでさとった民主政体の本義からはずれているの

である。その点から誤訳を指摘したわけだ。

「まあ、怒らんで、もう一ぺん、その横文字をみてくだされ」

「ふむ」

ねずみは、怒りに手の指をふるわせながら自分の翻訳を検討した。

ねずみの顔色がだんだん蒼ざめてきた。

竜馬のいうとおり、あきらかな誤訳であった。ねずみは、ぐっと顔をあげた。

「諸君、あやまる。間違うちょった」

剣術使いの勝ちである。

そのうち、絵師の河田小竜のほうから、饅頭屋長次郎を使者にして、竜馬のもとに、

「会いたい」

といってきた。

使者の饅頭屋は苦笑していった。

「あんたは蘭学通じゃという評判が城下に立っちょります。河田小竜先生がそれほどの学者ならこちらから会いたい、と申されちょるのですよ。あの先生は、剣術使いが大きらいだし、それに、初対面の人にあうのがきらいなのです。それが、求めて会う、とおっしゃるのですから、大したものです」

「ホウか。虚名ちゅうのも、時には役ンたつもんじゃなあ」

「こんどは、作法どおりねがいますぜ」

「よし、仙台平、五ツ紋でゆく」

翌日、小竜を訪れた。

小竜はうってかわったように、にこにこと請じ入れた。竜馬を人物と認めたのだろう。

この河田小竜との対話は、日付はいつであったろう。

季節は、真夏であった。日射しのはげしい高知では、城下の人は暗がりから働きはじめ、午後は午睡をとる。

夜があけるのを待ちかねて、竜馬は本町筋一丁目の屋敷を、迎えの饅頭屋長次郎と一緒に出た。

手に、乳母のおやべ婆さんがつくってくれた昼弁当をさげている。終日、小竜のはなしをきくつもりであった。事実、この日が竜馬の生涯にとって重要な一日になるのだが、竜馬のカンは、それはおぼろげながらわかっていたのだろう。

「饅頭屋、おやべが、まぜめしを作ってくれた。お前のぶんもあるぞ」

どこか、まだ子供っぽくて饅頭屋にはおかしかった。

「坂本さまは、こどものころからまぜめしがお好きじゃったそうですな」

「あれは、面倒がないキニな」

「面倒？」

「めしと菜を別々に食う面倒が、じゃ」

（なるほど）

聞きしにまさる無精者である。饅頭屋長次郎は物知りだから、西洋にもまぜめしのようなものがあると聞いている。英国の貴族でサンドウィッチ伯爵（十八世紀の政治家。外交官や各省大臣を歴任し、海軍大臣が長かった。英国政治家列伝中、もっとも無能不評判な人物とされているが、ただバクチがすきで、食事の時間も惜しんだためサンドウィッチという奇妙な食品を発明し、それだけで後世に名をのこした）の発明品で、長崎へ来る西洋人はよくそれを食べているという。

「そういうはなしですよ」

「なるほど人のいうとおりお前は学者じゃなあ」

竜馬は感心し、感心するだけでなく、こういう物知りを乾分にすればずいぶん便利だろうとおもった。

小竜と、会った。

むろんたがいに絵のはなしはしない。天下国家をどうするか、ということだった。

小竜は、竜馬がおどろくほど、海外の新知識をもっていた（むろん又聞きだが）。

小竜は、西洋の機械文明のおそるべき発達を、実例をあげて話した。

どの話も、竜馬にとってはじめてきくはなしで、じっとしていられない気持になった。

（西洋は、それほどのものか）

これは武市の熱中している「攘夷」どころのさわぎではない。うかつに「攘夷」をやれば、日本武士は全滅するのではないか。

（土佐藩も日本も、ぼやぼやしちょられん。いまの徳川幕府や土佐藩のやりかたでは、日本はつぶれてしまう）

竜馬のコブシが固くなった。

「小竜先生、やろう」

「わしは一介の絵師じゃからな」

「絵師もくそもあるものか」

「いや、わしは物知りにすぎぬ。やるのはお前さんのような法螺屋じゃ」

「ふむ？」

あまりうれしくない。

「のう坂本さん、西洋と対抗する第一は、まず産業、商業を盛んにせねばならぬ。それにはまず物の運搬が大事であり、あの黒船が必要じゃ」

「よし、その黒船をなんとか都合しよう」

「お前さんが、黒船を？」

と小竜先生はいった。

「手に入れるというのか」

「そうじゃ」

小竜先生は、がっかりした。いままで真剣に話してきて、損をしたような気がした。やはりこの剣客は、子供のころの評判がそうであったように、頭がおかしいのではないか。

「手に入れるとも、何隻も。蒸気で船を動かし、大砲をつんで世界をのしまわってみたい」

「そうかのう、お前さんがのう」

小竜は、声まで小さくなっている。一介の郷士の子がなにをいうのだ、といいたかった。

そもそも、浦賀にペリーの黒船艦隊が渡来して日本人がはじめて近代軍艦というものをみてからまだ六、七年しかたっていないのだ。

もっとも余談だが、この日本列島に住む人種は、どの民族にもない秀抜な特性をもっている。

浦賀でペリーの米国艦隊に腰をぬかしはしたが、その翌年の安政元年には、幕府では早くも、浦賀奉行与力中島三郎助を造艦主任として、英国船をモデルとした洋式帆船「鳳凰丸」というのを国産でつくっているのだ。

その翌安政二年、薩摩藩でも、昇平丸、鳳瑞丸、大元丸の三隻をつくって幕府に献上し、日本唯一の近代工業施設をもつ薩摩藩の名を天下に高からしめた。

さらに、尊王攘夷の本山とされている水戸徳川藩も、神がかり論ばかりをいっているわけではなかった。藩主斉昭は、江戸石川島（のちの石川島造船所）で安政三年「旭日丸」という軍艦を建造して幕府に献じている。もっとも、これはまるっきり動かず、世間の物笑いのたねになったが。

とにかく、外国軍艦をみて数年後には、それに似た船を五隻もつくっているのである。日本人のたくましさと能力は、世界史上の奇蹟といっていいだろう。

が、竜馬のばあい、話はべつだ。藩に対して一言の発言権もない郷士の身分であり、持っているものといえば、北辰一刀流の腕と、腰間の一剣あるのみだ。それが艦隊をつくるというのである。

（法螺屋め）

小竜先生は、不快になった。

しかし、このあと半年というものは、竜馬はひまさえあれば小竜の屋敷にあそびにきてその夢を物語った。

小竜もそのうちだんだん竜馬の夢に乗せられて、本気で艦隊建設のはなしを談ずるようになった。

しかし、実現の手がかりなどはまったくない。要するに、法螺ばなしである。

「法螺には、金がかからんからのう」

と、竜馬ものんきなことをいった。こういうわけで、

――坂本の法螺船

といえば、城下でも有名になった。

（まあ、時期を待つんじゃ。いまにみていろ）

竜馬は、内心、おもっている。それまでのあいだは法螺でも吹いて、世間を笑わせているしかしかたがない。

そのうち、竜馬の身辺は、法螺船どころのさわぎではなくなってきた。

身辺だけではなく、土佐藩の政情も、天下の情勢も、ひどく血なまぐさいものになってきた。竜馬は、その渦中に入った。

その日は、三月四日。

雛(ひな)の節句である。

土佐藩では、節句は三日には祝わず、四日に祝う風習があった。

藩では、この日、上士が総登城して、殿様から御酒をいただく慣習がある。

「そうか、きょうは節句か」

竜馬は朝から、坂本屋敷の門前を、供をつれた上士が、ぞくぞくと通るのをみて、気づいた。

が、むろん竜馬は登城などはしない。竜馬だけでなく、城下の郷士、在郷の郷士、つまり「軽格」たちは、城のどういう祝宴にも出る資格がなかった。おなじ藩士とはいえ、上士からは、人間とおもわれていない階級である。

その夜。

午後八時ごろであったらしい。城下がひっくりかえるような刃傷（にんじょう）事件がおこった。

上士に、

「鬼（おに）山田」

といわれた一刀流の剣客がある。名は、山田広衛といった。

お城で酒宴が果てたのは夜七時半ごろで、鬼山田は上機嫌で下城した。したたかに酔っている。

　風を孕（はら）みに帆傘（ほがさ）がまわる
　船頭春だよ、花吹雪

などと唄いながら、城門を出てしばらくゆくと、小男がすりよってきた。

お城の茶坊主で、松井繁斎という男。これは口さき一つで世を渡っているような男で、家中の者から、

「べんちゃら繁斎」

とよばれていた。屋敷は、城下の西はずれにあり、西孕（にしはらみ）に屋敷のある鬼山田とは途中まで一緒になった。

この刻限。

つまり、のちに土佐藩の軽格連中をして大挙勤王運動に走らしめたこの事件は、鬼山田らが、北奉公人町、小高坂橋（こだかさばし）を通って永福寺の門前にかかっている土橋にさしかかっ

たときにおこった。

　星はあった。

　が、道がやっとみえる程度だ。

　その暗い前方から、すっと出てきて、鬼山田につきあたった武士がある。

「何奴(なにやつ)じゃァ」

　鬼山田がどなった。

　黒い影が、

「これは粗相(そそう)を」

　と、そのまま行きすぎようとすると、鬼山田は、待て、とどなった。

「名を申さぬか。わしは鬼山田じゃ。上士につきあたっておいて、名も名乗らぬとは無礼であろう」

　相手はだまっている。その様子を鬼山田はじっとみていたが、

「そちは、軽格じゃな」

　と、さも軽侮するようにいった。酔っている。それに、軽格の無礼に対しては、おなじ武士ながら上士は無礼討してもかまわぬという他藩にない差別法が、土佐藩にはあった。

　鬼山田は、鯉口を切った。

鬼山田につきあたった軽格（郷士）というのは、竜馬もよく知っている。中平忠一郎という、若い郷士である。愚にもつかぬ男で、衆道（男色）にうつつをぬかし、宇賀某という美少年を愛している。

この夜も、宇賀某と手をとりあって堤の上を散歩していたのだ。雛の節句の夜だから、闇まで艶である。逢瀬をたのしんでいたのだろう。出来ることなら、名も名乗らず、事も荒だてたくなかった。しかし、

「軽格」

と、ののしられ、さすがの中平も、かっとした。土佐武士は、軽格のほうが骨っぽい。それに、連れている美少年の手前もある。

男色家は、ぱっととびのいた。

「や、やまださま。武士を面罵してそのままで済むとお思いか」

「いうたな、軽格づれが」

鬼山田はツ、ツ、と足を進めた。剣をとっては、上士のなかでは屈指の男だ。それにぬきがたい階級的おごりがある。

スルスルと刀を上段にあげた。

男色家は、やむなく下段。下段などは半ば防禦の構えで、よほど腕に自信がなければ、攻撃に転ずるのはむずかしい。男色家には、それがわからない。

鬼山田は、さらに踏みこんだ。腹を心もち突きだし、ぐんぐん押してゆく。

男色家は、さがる。

ころはよし、と鬼山田は見たのだろう。

「やあっ。——」

と、すさまじい掛け声をかけた。それにつられ、男色家は、おびえたようにツバを面上にあげ、胴を空(あ)けてしまった。

その胴を、鬼山田が真二つ。

この世のものとは思えぬ悲鳴をあげながら男色家は、どさりと倒れた。

鬼山田はゆっくりとトドメを刺し、手を死体の鼻にあてて気息の絶えたのをたしかめてから、

「繁斎、繁斎」

と、連れのおべんちゃら繁斎をよんだ。

「仕止めたぞ。おそれずに出てこい」

「へ、へい」

繁斎は、遠くでふるえている。

「こいつ、どういう面体(めんてい)か、見ておきたい。そこの寺で提灯を借りてこい。早く行け」

「へっ」

繁斎は、すっ飛んだ。

鬼山田は、それを待っている。

その間。――

例の美少年は、急を報らせるために男色家の屋敷へ駈けこんでいた。男色家には、池田寅之進という実兄がいる。

これは、腕が立つ。竜馬とは、むかし、日根野道場での相弟子であった。

寅之進は、二尺七寸、胴田貫(どうたぬき)、太刀拵え(たちごしらえ)の剛刀を持ちだし、抜きはなって屋敷の門で鞘をすて、現場にかけつけた。

そのとき、鬼山田は、土橋のタモトから土手を降り、小川で手をあらっていた。ついでに水を飲もうと思って、両手をさしのべて流れをすくったとき、池田寅之進が駈けおりてきた。

「かたき。――」

いきなり背を割った。

斬られながらも心得たり、と鬼山田はまず草をつかんで土手をかけあがり、路上で剣をぬいた。が、最初の一太刀がこたえたか、足が宙を踏むようであった。

寅之進は、踏みこみ踏みこみして、鬼山田に働くスキをあたえない。

剣は、しょせん、最初の一撃の勝負である。鬼山田が、いかに巧緻(こうち)の剣技を誇っても、背の傷口から、刻一刻、生命が抜けていっている。

鬼山田が動くたびに、血が飛んだ。やがて最後の力をしぼり、

「軽格。――」

とどなって、上段からのめるようにふりおろしたとき、池田寅之進は、中段から摺りあげて籠手を撃ち、さらに剣を舞いあげて、大きく踏みこむや、思うざま、鬼山田の面を叩き斬った。

「どうだあっ」

とさらに踏みこんだときは、鬼山田は死体になっている。

そこへ、何も知らぬおべんちゃら繁斎が、提灯を借りてとびこんできた。

「山田様、借りてきましたぞ」

灯をさしだした。灯あかりで、そこに立っている男を見れば、鬼山田ではない。

「ぎゃっ」

と逃げようとしたが、池田寅之進は、人を斬ったばかりで昂奮している。

「繁斎、おのれもかたきの片割れ」

とばかり、片手なぐりに刀をふりおろし、繁斎の細首をたたき斬った。繁斎の胴手足は提灯を持ったまま、トントンと足踏みして、やがて、ばたりと倒れた。斬れる、胴田貫は。――とあとで寅之進は、慄えながら朋輩にいった。

翌五日。

城下は大騒動になった。

朝になって、うわさを聞きつたえた城下、城外の軽格どもが、ぞくぞくと坂本竜馬の屋敷にあつまってきた。

余談だが、いつのまにか、土佐一藩数百の軽格連中は、自分らの階級の頭目として、竜馬坂本竜馬、武市半平太のふたりを、かつぎあげるようになっている。この連中が、竜馬と半平太をかつぎつつ維新回天の原動力になり、そのうちのおそらく百人近くが風雲の乱刃に斃れ、数人のやや無能小器用なのが生きのこって、維新政府の高官になった（土佐藩は、薩長土と並称されるようにいわゆる勤王倒幕主義とされているが、内実はちがう。藩主、家老、上士などの藩の上層部はがんこな佐幕論者で、倒幕派はすべてこの軽格連中であった。軽格連中は、天下に志をのべるにはまず、藩の上層部と闘わねばならなかった。そこに、幕末土佐藩の数多い悲劇がうまれてゆく）。

竜馬は、客間にすわり、いちいち、軽格どもと応接している。

「ふむ、ふむ」

と、うなずくきりで、いっさい永福寺門前事件について批評がましいことはいわない。

ところが、午後になって、とびこんできた数人の気の荒い軽格連中が、

「坂本さん、いよいよ戦さじゃぞっ」

と叫んだ。

「なぜじゃ」

「上士の連中が、死んだ鬼山田の屋敷に集結していて、池田寅之進の屋敷に斬りこもうとしている。すぐ池田屋敷に来てくれ。総大将のあんたがそこでにやにやしておられて

は、軽格はまとまらん」

「すぐ行く」

竜馬は立ちあがった。

竜馬は、本町筋一丁目の屋敷を出てから、念のため、永福寺門前の現場へ行ってみた。

現場には、鬼山田の死体も、男色家の死体も、おべんちゃら繁斎の死体も、すでに片づけられてないが、土橋から路上にかけて、おびただしい血が流れている。

「ここか。――」

一時間ほどのあいだに、三人の血を吸った土地だ。

草まで、血でぬれていた。

竜馬は、池田寅之進の屋敷に入った。すでに、屋敷にびっしりと郷士、地下(じげ)浪人など軽格連中がつめかけている。

竜馬をむかえて、どっと湧いた。

「おンしが、総大将じゃぞ。たのむぞ」

「まあ、静まっちょれ」

「タマルカ（昂奮せずにおられるか）」

刀の目釘をしらべる者、手槍をかいこんで駈けつける者、道具屋から鎖かたびらをとりよせる者、など、まるで戦さ支度である。

むりもなかった。

ここから西、三丁むこうに「敵の本陣」があるからだ。

池田の弟（男色家）を討ってその場で池田に討たれた鬼山田の屋敷に、ここと同様、上士が詰めかけているのである。

軽格方が近所の町人を使って偵察させたところでは、上士のほうが、激昂がはなはだしい。

——三十人ほどがひしひしと詰めかけ、三間の大身（おおみ）の槍、手槍、投げ矢、火事装束などをそろえ、いつ押しかけてくるかわからぬ形勢。

であるという。

「あっははは」

と、竜馬のそばで、数人が赤い大口をあけ、痛快そうに笑っている。

「みな鎮まりかえっちょれ。騒（ほた）えな」

と竜馬がどなったが、たれもきかない。

「これで、われら土佐藩も真二つじゃ」

それが、うれしいらしい。

「真二つ」

「真二つ」

「あっははは、真二つ」

口々に、叫んでいる。上士と軽格とにわかれて藩士で大戦争がはじまるのが、軽格連中には痛烈な刺戟なのだ。三百諸侯のなかで、土佐藩のような事情の藩はない。

「たまらん、たまらん」

と、庭にとびだして、槍を繰りだし繰りだしして空(くう)をつきまくる者もあり、ギラリと大刀をぬいて、

「みろ、関ケ原での祖先の恨みをはらすんじゃ。この刀は、我(うち)が十代前の先祖が、亡主長曾我部様に従って参陣したときの刀じゃ」

といった。

関ケ原のとき、いまの藩主の山内家は、徳川方であった。郷士どもの先祖の主人である土佐の旧国主長曾我部盛親は西軍で、土佐兵四千をひきいて参加した。

西軍は、やぶれた。

長曾我部家はほろんだ。

が、その遺臣は、山内家から弾圧、軽視されながらも、土佐七郡の山野で生きつづけてきた。それが竜馬ら土佐郷士である。

その感情が、たまたま、この永福寺門前事件で爆発したのである。

上士方でも、軽格側の首領に竜馬が押したてられたときき、腕に覚えのある者をさがしはじめた。

やがて上士方では、竜馬に匹敵する剣客として、無外流の免許とり戸梶源蔵がえらばれ、それを先鋒に斬りこんでくるといううわさが、軽格方にきこえてきた。

「竜馬、そういうことだ」

と、軽格方の年がしらの池内蔵太がいった。

「そうか」

竜馬は、もう土間におりて履きものをはいている。一同がおどろき、

「お前、どこへ行くんじゃ。斬りこみなら、お前ばァ、やらせんぞ」

「いや、ちょっと用足しじゃ」

門を出ると、暗い。

竜馬は、知りあいの町家に入って提灯を一つ借り、さっさと溝に沿って歩きだした。

風が、なまあたたかい。

鬼山田の屋敷は、その溝ばたにあり、定紋をうった高張提灯が出ていて、しきりと上士の連中やその供の者が出入りしていた。

竜馬は、門前で放尿し、やがて門内へ入った。

「どなたです」

と、背後でたれかがたずねた。しかしそのときは、竜馬の影はすでに玄関の式台の前に立っていた。

そばに樟がある。まかりまちがえば、それを小楯にとってひと戦さするのもおもし

ろいか、と竜馬は考えている。

さてここまでやってきたが、

(何をしにきたのやら)

と竜馬にはべつに深い思慮はなかった。思案は、敵方の上士どもにまかせてやろうと思った。これが竜馬のいつもの法である。

「お城下、本町筋一丁目の郷士、坂本権平の弟、竜馬です。お取りこみの最中でおそれ入る。どなたか、おられませんかな」

「なに、竜馬が」

門から、玄関から、庭さきから、上士たちが大刀をつかんで駈けよってきた。

「提灯、松明っ」

とたれかがさけんだ。

「灯を玄関にあつめるんじゃ。本町の竜馬めが、単身斬りこんで来おったぞ」

「騒えなさんな」

竜馬がいったが、さまざまの叫び声でかき消された。上士方にすれば、恐怖がある。魔物でもやってきたように、竜馬の影像が巨大にみえたにちがいない。

二、三が、恐怖のあまり抜刀した。

そのくせ、たれも近寄らない。

「おのれ」

と、しわがれた声が、一歩前へ出た。この男だけは落ちつきはらっていた。

「軽格づれが」

と、その男がいうのだ。

「分際をもわきまえず、案内も乞わず、上士の屋敷に侵入りこむとは無礼であろう。それとも、無礼を承知できたか」

「承知で」

といえば、藩法により無礼討ができるのだ。だからこの男は念をおした。もともと竜馬を斬るつもりでいる。

「お前さんは、どなたです」

「戸梶源蔵じゃ」

落ちついている。さすが、死んだ鬼山田とともに上士のなかでは一、二をあらそう腕達者というだけはあった。

「ああ、お前さんじゃな、高名な戸梶源蔵と申されるお方は」

竜馬は、眼が近いから、腰をかがめ、くどいほど相手を見すかしながら、

「本気で、おやりになるおつもりですかな」

「なにっ」

「おとなげもござらん」

と竜馬はいった。

「私がここで死ねば、国中三百の郷士、地下浪人は剣をもって立ちあがる。藩士たがいに血みどろになって相戦う。得るところは、山内家二十四万石のお取りつぶしだけです」

といってから、一段と声をはげまし、

「ではないか、おのおの、掛川衆（かけがわしゅう）」

といった。

掛川衆とは、上士たちの先祖が藩祖山内一豊に従って旧封遠州掛川からやってきて土佐を支配してから、そうよぶ。かれらを掛川衆とすれば竜馬らは長曾我部衆である。別に、上士を山内侍（やまうちざむらい）とよび、郷士を土佐侍ともよぶ。

「ぶっ、ぶれいな」

「なんの無礼なものですか。理の当然をいうたち、なにがわるい。いま、天下は」

いきなり竜馬は腰をひねって抜刀した。

わっ、と一同はさがった。

「いま天下は、このように」

抜いた刀をひらひらと天空にまわしながら、

「揺れちょる」

といった。竜馬は刀をおさめ、

「それに、わが土佐藩では、上士じゃの、軽格じゃの、ちゅうて相せめぎ合うちょる。もし桂浜にアメリカ船が押しよせてくれればどうなさるか。それでも、味方同士けんかをなさるか」

「味方どうし？」

たれかが、あざわらった。

「軽格づれがわれわれをつかまえて、味方どうしとは、なんと無礼なことをいう。われわれが、情けによって言うちゃるのはよい。しかし、軽格のほうから味方どうしなどと申すのは僭越（せんえつ）じゃぞ。藩法をみだす不穏の考えじゃ。上下の秩序（すじめ）をきめた藩法をみだすは謀叛人。さればたったいま、謀叛人として討ちとるが、よいか」

笑うべきでない。

竜馬は、この場では謀叛人になった。

これが、土佐の藩風であった。軽格が上士に「味方どうし」といっただけで、狎（な）れちょる、謀叛であるという奇妙な論理がなりたち、即座に無礼討にされても、上士におとがめなしという国なのである。

（つまらん藩じゃな）

広い江戸や京大坂を見ている竜馬には、わが故郷ながらなんとも腹の底冷えるほどに愚劣な藩であり、つめたい国柄であった。

もっとも、土佐そのものがつめたいのではなく、三百年、高知城下に進駐しつづけている山内侍のおろかしい占領意識が、軽格の身にはそうおもわれるのである。

竜馬よりやや年下で、のちに脱藩し、維新の風雲のなかを影のように流転した田中光顕（後伯爵、昭和十四年、九十七歳で死去）は晩年になってもなお、

「私どもは土佐藩には複雑な気持をもっている。故郷とよぶには冷たすぎた。私など脱藩後、新選組などの幕吏の追及に生命をなまに曝されているときに、親身になって庇護してくれたのは母藩の土佐ではなく長州藩であった。私の故郷は長州といっていい」

と述懐していた。

抜いた。

戸梶源蔵は、下段に構えた。

と同時に、玄関前で竜馬をかこんでいる十二、三人の上士が、源蔵の抜刀をみてばらばらと刀をぬいた。

「掛川衆」

竜馬は、そっと樟の幹に肩を寄せながら、

「早や、やりなさるか。もうチクと、問答してから、殺すなり殺されるなり、なされればどうです」

といった。

「無益っ」

戸梶源蔵は、とびあがった。とともに上段にふりあげ、ぱっと宙空で右手をはなした。刀を大きく旋回させ、竜馬の左横面を撃ってきた。

竜馬は、クルリと樟にかくれた。

源蔵の刀が、ぐさりと幹にささった。

「逃げた」

とたれかが叫んだ。

（逃げるもんか）

再び幹の左手にあらわれたときには、すばやく戸梶源蔵の右籠手を撃った。みねうちだが、戸梶の骨が泣いた。刀を落した。

そのときは、竜馬は門わきにとびさがっている。段ちがいの腕であった。

「これ以上は無駄ですか、論じても。――」

竜馬は刀をおさめた。そのまま大手をふって門から出た。たれも追う者がない。竜馬の背にある桔梗の紋が、たれの眼にも痛いように映った。

その足で、軽格の本拠池田寅之進屋敷にもどると、みな大騒ぎをしていた。

「竜馬、たったいま、池田寅之進が、腹を切った」

「馬鹿ァ」

竜馬は、咆えた。

「なぜ、とめなんだ」

「その間もなかった。いきなり、脇差を突きたておった」

奥の間にかけこむと、なるほど池田寅之進は背をまるめ、脇差を抱きこむようにしてころげまわっている。苦しいのだろう。

「頼む、介錯をしてくれ」

と、池田寅之進は、虫の息でいった。

が、たれにとっても、とっさのことだったらしく、騒ぐばかりで、介錯をしてやろうとする者がいない。

だけでなく、医者を、と駈けだす者もあった。命をとりとめさせたいのだ。池内蔵太などはこの期におよんで池田にだきつき、

「お前、切腹することはないんじゃ」

脇差をもぎとろうとしていた。

むりもなかった。

池田寅之進は、弟の仇をその現場において討ち果たした勇者なのである。

他藩ならば、武士の鑑、ということで褒賞こそあれ、罪にはならない。

が、土佐藩にあっては、上士を討ったことは藩の秩序をみだす大罪であった。

それだけではない。

上士たちが、一屋敷にたてこもり、軽格方に、「池田を渡せ」と要求し、私刑を加えようとしている。それを、藩の大目付以下の監察機関が、見てみぬふりをしていた。

池田寅之進は、自分のことから、なかまの軽格に迷惑がかかることをおそれ、とっさに腹に刀を突きたてた、という。

竜馬は、すべてがわかった。

「内蔵太、退きなんせ」

と、静かにいった。

「介錯してやれ」

と、竜馬はいった。

「竜馬ァ、お前は」

池内蔵太は、泣き顔をあげた。

「これほどの勇士を、むざと殺すのか。他藩ならば、めでたく仇を討った勇士じゃ。荒木又右衛門、堀部安兵衛にも比肩できようぞ」

「内蔵太、まちがうな、ここは土佐藩じゃ」

「むう」

内蔵太は、池田寅之進の傷口を両掌でおさえながら、ほとばしるような声で哭きはじめた。

「内蔵太、おンしに武士の情けはないのか。勇士をこれ以上苦しませるのか」

「わかった」

内蔵太は立ちあがった。剣をぬき、前かがみになって、

「池田よ。池内蔵太が介錯をするぞよ」

「ありがとう」

と、池田寅之進は苦しそうにいった。しかし、内蔵太はなおもいった。

「おンしは、その場で弟の仇を討って武士の名誉をとげた。土佐藩ならずば、生々世々、語りつがるべき武士のほまれじゃ。上士へのうらみは、わしが晴らしてとらせる。うれしく成仏せい」

「おお、もとよりじゃ」

「御免。——」

内蔵太は、作法どおり、首を竜馬のほうにむけた。

首は、前に落ちた。

「たしかに」

と竜馬はいってから、刀の下緒を解き、それを血の中にひたした。

（池田、おンしのことを忘れはせぬ）

そのつもりで、それをした。が、たれもが竜馬の意中がわかったのか、みな、下緒を解いた。

たっぷりと、池田の血で染めた。浸しながら、池内蔵太は、また声を放って泣きだした。

「池田ァ」

内蔵太の顔が、涙と血で、赤鬼のような形相になっていた。

「わしら土佐藩の郷士にゃァ、藩はないと思いさだめたぞ。こんな腐れ藩、ないほうがましじゃ。一朝、天下に事あらば、藩のためにも起たぬ。幕府のためにも起たぬ。京の天子のもとに集まってやる」

池内蔵太は、武市半平太の勤王論の心酔者である。

池内蔵太だけでなく、この場に居あわせたすべての郷士は、おなじことを誓った。

竜馬は、門を出た。

頭上いっぱいに、星が輝いている。

(やがて、土佐はえらいことになるぞ)

足は、武市の屋敷にむいている。こんなときには、いつも武市と談ずるのが、くせになっていた。

が、すぐ思いだした。武市は、ここしばらく、剣術詮議という名目で、藩外に出ていて城下にはいなかった。

このとき竜馬、二十五歳、安政六年。

このとしは、さまざまなことがあったが、竜馬は、読書で暮れた。

明けて万延元年、竜馬二十六歳。

竜馬にとって、刺戟のすくない日がつづいている。が、退屈をするのがきらいな男で、読書に飽くと武市半平太を訪ねたり、城下の郷士に剣術を教えたり、かとおもうと、数日屋敷から姿を消したりした。

「また、山歩きでもしちょるんじゃろ」

と、兄の権平も気にとめない。事実、数日してもどってくると、りっぱな自然薯（じねんじょ）の十本は、手にさげていた。

乳母のおやべさんが、自然薯に目がないのを竜馬は知っている。

呉れてやると、

「やれ、坊（ぼん）さま、うれし」

竜馬に抱きつくようにいうのだ。

源おんちゃんもこれがすきで、竜馬は、おんちゃんの小屋にも、一本、徳利と一緒にほうりこんでおいてやる。

おんちゃんは、これをなますに刻んで、にんにくと一緒にかじりながら焼酎をのむ。ずいぶん酒の味が違うらしい。

あとの二、三本を手みやげに、半日、田舎道をあるいて、乙女姉さんの家へゆく。

この日も、そうだった。

ところが、わるいことに、乙女姉さんはひどく機嫌がわるかった。

竜馬は、案内も乞わずに、どんどん屋敷に入り、台所へ通った。裏庭もみた。広い屋敷はいっこうに無人(ぶにん)で、がらん、としている。

最後に、仏間をあけた。

そこにいた。

が、じろりと竜馬をみたきり、乙女姉さんは思案している。

評判の大女のくせに、ひざにそろえている手が、弟ながら、はっとするほどきれいなひとだった。

「なんぞ、おむずかりですか」

と竜馬は、首をすくめた。

「姉さん、わしなんぞに怒ったち、しかたがなかろう。しかし満足(ほっこり)せんことがあったら、言うてたもらんかの」

「お前に怒っちょりません」

「では、たれに怒っちょります」

「子供にはわからん」

「二十六にもなっちょる」

「女房ももたぬ者に話しても、わかりますすまい」

(ははあ、痴話喧嘩か)

そうと察したが、しかし乙女姉さんでもそういうことがあるのか、と竜馬はそのことに驚いた。

「姉さんは子供がないきに、いつまでも若うて、それで喧嘩なさるのじゃな」

「わかったことを、竜馬は言うちょるよ。子供ができたきに、私は騒いじょります」

「結構ではありませぬか」

「なんの、私の子ではありませぬ」

「すると」

「新輔どのは、あれは見かけによらず、とんだばぶれもん（好色者）でありました。小女（女中）に手をつけました」

竜馬は、そろそろと障子ぎわへ後じさりしはじめた。こういう話は、にが手だ。

「竜馬、そりゃ、なんえ？」

「逃げます」

廊下のむこうから、亭主の岡上新輔が蒼い顔でやってきた。

義兄の岡上新輔は、竜馬の姿をみると小さな顔をくしゃくしゃにしてよろこんだ。地獄に仏、といった顔である。

「竜馬よ」

と、廊下によびだし、

「聞いたか聞いたか」

と、小声でいった。当人は真剣なのだが、この義兄はどことなくおかしい。

「嫋が、怒って大わらわになっておじゃる。お前は気に入りの弟でありますゆえ、わしのためになだめてやってたもらんせ」

「にいさん、嬰児は、男の子ですか」

「わるいことに男じゃ」

「目方は」

「わるいことに、一貫目近くあったぞ」

「目鼻だちは」

「おお、わるいことに、先方の女にそっくりでの。玉のように可愛げじゃ。こまっちょる」

「りゃりゃ、ホウか。それなら」

竜馬は乙女にも聞こえるように大声をあげた。

「勝負はあった。その女に乙女姉さんは負けなされた。子供は天が生むものじゃ。まさか、義兄さんも、好きで生んだのではござるまい」

「おお、生もうと思うて生みはせぬ。もっとも女は好きで抱いたがの」

「それなら、その好いたぶんだけ、乙女姉さんに撲たれなされ。あとは知らぬ」

竜馬は、廊下を逃げだそうとすると、乙女はカラリと障子をあけて、新輔をにらみつけた。

「ばぶれもん」

乙女は、好色な男が大きらいだ。

「不浄ゆえ、当屋敷には入れませぬとあれだけ申したのにまた戻りましたか」

「お仁王、かんべんじゃ」

「なりませぬ」

乙女は、新輔のえりがみをつかむなり、どっと庭さきにほうりだした。あいかわらず、女には惜しい大力である。

（これなら、新輔義兄がおなごをつくるはずじゃ）

と思いながら、竜馬は乙女姉さんをとめにかかった。

「えい、のきなさい、竜馬」

「退かれん。いまの鉄砲でかんべんしてやんなされ」

「竜馬、さからいますか。さからうなら、そなたも容赦しませぬぞ」

「義兄さんから頼まれちょる。なんならここ一番、乙女姉さんと角力をとって、わしが勝てばゆるしてたもるか」

「なんの」

乙女姉さんは、武者ぶりついてきた。なにしろ縁の上である。

竜馬も、やっと縁のはしを剣ガ峰にしてささえながら、十八貫の乙女姉さんの腰をかかえ、しずしずと持ちあげはじめた。

乙女は両足をばたばたさせている。

「竜馬、竜馬」

さすがの乙女も、たまりかねて叫んだ。

そこへ、門前で馬蹄の音がとまったかとおもうと、庭さきへ旅装の武士が駈けこんできた。

「竜馬、一大事じゃ」

と武士はいった。

武士は、武市半平太である。

長身雄偉な骨柄を、ぶっさき羽織、馬乗袴にかため、色白で青々としたひげのそりあとを、微笑でくずしている。

——一大事。

といったわりには、その笑顔がすがすがしすぎた。

「なんじゃ、お前(まん)、旅姿で」

「これか」

武市は、ムチで袴をばたばたとたたき、

「江戸へ発(た)つ」

「ほう、やぶから棒じゃな」

「吉報があった。おそらく天下を憂える者はどよめくであろう」

「めずらしい」

「なにが」

「お前が、左様に昂奮(たかぶ)っちょるのは」

「あっはは、これをよろこばずにおられるか」

といってから、武市は、見てはならぬとさきほどから自制している当家の異常な光景へやっと眼をうつした。

そこに、乙女姉さんがいる。

竜馬に縁側から落されてしりもちをついていたのが、やっと裾をつくろって起きあがっていた。

乙女に投げとばされた夫の新輔も、やっと起きあがっている。

「これはこれは、ご活潑なお仲で」

半平太は、くそまじめにあいさつした。

乙女姉さんは、真赤になった。乙女は半平太とは似た年ごろだが、むかし、ひそかに想ったことがあるらしい、という秘話を、竜馬は乳母のおやべさんからきいたことがある。

「あの」

といったきり、乙女は、あいさつもそこそこに、縁へはねあがって、障子のかげにかくれてしまった。

竜馬は、鼻の奥でぐずぐず煮えきらない笑いをひろげながら、

(はずかしがっちょる)

しかし、半平太ほどの偉丈夫を乙女は理想の男性としていたとしたならば、岡上の新輔さんでは不足なはずじゃ、と竜馬はおもうのである。

そう思ってみると、乙女の姿は滑稽でもあったが、あわれでもある。

岡上新輔も、落ちつかぬふぜいで竜馬と半平太の顔をかわるがわる見つめていたが、やがてどこかへ行ってしまった。

女の家に行ったのかもしれない。

「まあ、腰をおろせ」

と、竜馬は自分でさきに立って、縁側に腰をおいた。

「一大事とはなんじゃ」

「大老井伊直弼が、江戸桜田門外で水戸、薩摩の憂国の烈士のために殺されたぞ」

「えっ」

ありうべきことではない。

日本史上最大の強権の府である徳川幕府の大番頭が、しかも三十五万石の格式による行列を組んでいるはずであるのに、それが堂々千代田城の門外で殺されたとは。

(これは、大変な世の中になるぞ)

竜馬の血が、逆流して、めくらむおもいであった。生涯、これほど血のわいた瞬間は

ない。

「そ、それはまことか」

竜馬は、半平太の手をにぎった。

「うそはいわん。みろ、わしの歯を」

半平太は、口をあけた。口中の肉がやぶれ歯に血がにじんでいる。

「ここへ来る途中も、そのことを思うと血が湧き、馬上でひとり歯を噛んだ」

「世がひっくりかえるぞ」

幕閣の首班が、名もなき浪士のために殺されたのだ。これは癖になる、と竜馬はみた。今後、俗論、軟論をもつ幕閣、諸藩の藩庁の要人はつぎつぎに殺されてゆくだろう。

「これで竜馬、草莽の正気が陽の目をみたのだ。水戸、薩摩の連中は、一剣もって天下をただした。われら土佐武士も、ぼやぼやはしちょられんぞ」

「ふむ」

「殿も、よろこんじょられるげな」

そうだろう。

藩主山内豊信は、幕府のために良かれと思って水戸徳川家から将軍の世子を出す工面をしたために、水戸ぎらいの井伊に忌まれ、隠居を命ぜられて、いまは容堂と名乗り、藩政から手をひいている。例の安政ノ大獄のあおりを食ったわけである。

「むろん」

と、城下で天皇好きとあだなされている武市はきびしい顔をして、

「京も、およこびであろう」

といった。

「それでわしは」

武市は、声をひそめて、剣術詮議のためという名目で江戸へ立つ、といった。

「なぜ江戸へ」

「江戸には、薩摩、長州、水戸の錚々たる若い連中があつまっている。それらの動静をさぐり、われら土佐者の今後の行き方を考えてゆかねばならぬ。場合によっては」

「ふむ？」

「薩長土という西国三藩連合をつくり、京都様を擁して幕府を制圧しようかとおもうちょる。さもなくば、現下の外患から日本を救いだす道はない」

「そうせい」

竜馬は、大きくうなずいた。が、そういいながらも、武市も竜馬も、まさかそんな奇矯な夢想が成功するものかどうか、強力な幕藩体制下にあるこんにち、しょせんは夢かもしれぬ、というむなしさもともなっている。

「そこで、ここにお前を訪ねてきたのは、わしの留守中、武市塾にあつまっている若い者の面倒をみてやってくれということだ」

「心得た」

「もう一つは、土佐七郡の山野に三百の郷士、地下浪人がいる。これらを一党にまとめたい」

「ほう」

「上士は代々俸禄(ほうろく)に飽いて大事を語るに足らず。これから、時代の悲風惨雲に堪えて生命を惜しまず働くものは、われわれ一領具足(いちりょうぐそく)の子孫どもだ」

このあと、しばらく雑談していたが、武市は陽のかげりをみて、あわてて立ちあがり、

「頼む」

と、馬上の人になった。

武市の不在中、本町筋一丁目の坂本屋敷は土佐七郡の若者の集会所のようになった。

例の池田寅之進の事件があってから、軽格連中は、横につながり、いよいよ同志のつながりはかたくなった。

かれらには、

「上士、何するものぞ」

という気概がみちている。三百年の圧制が、火をふきはじめたようであった。

それに、江戸桜田門外でおこった井伊大老の暗殺事件は、土佐七郡の田舎侍どもにも微妙な影響をもたらしている。

——ほう、そんなものか、幕府とは。

そういう軽侮を、かれらにもたせた。かれらの会話のなかでの用語までかわった。いままで幕府のことを、

「大公儀」

とうやまい呼んでいたのが、単に、

「幕府」

と呼びすてるようになった。言葉には意識がつきまとう。その意識に、三百年の慣習をやぶるなにかがうまれはじめていた。また幕閣の閣老のことをいままでは、

「御老中」

と敬称していたのだが、桜田門外ノ変以来はただの老中とよび、将軍のことも、

「大樹（たいじゅ）」

と敬称せず、将軍とよびすてた。

それほどかわった。

土佐だけではない。薩摩、長州、といった西国の大藩の藩士は、桜田門外ノ変以後、かれら自身はそれほど気づかなかったかもしれないが、心の中で微妙な変化をみせはじめた。それまで幕府というものから受けていた畏怖感、重圧感は、それ以後にわかにうすらぎ、

——存外、芝居小屋の書割りのようなものではないか。

という感をもちはじめた。

この年から三年後、長州の高杉晋作が、京都で将軍の行列をふところ手をしながら見物し、ちょうど芝居の役者にでも声をかけるように、

――いよう、征夷大将軍。

と、大声で囃(はや)した。それをきいた将軍のお供の旗本たちは、口惜しさに暗涙(あんるい)にむせんだという。

明治維新は、すでに桜田門外ノ変からはじまったといっていいし、また、この変事がなければ維新は何年おくれたか、もしくはまったく別のかたちのものになっていたかもしれない。

が、おなじ影響でも、土佐藩のばあいは、薩摩、長州の武士とちがう点があった。土佐藩のばあい、藩公、家老、上士はなんの影響もうけず、過敏だったのは、軽格である。しかもその軽格連中が、幕府を軽侮すると同様、藩そのものを軽侮しはじめた。

何度もいう。

倒幕維新の運動をやった薩長土三藩は、いずれも三百年前の関ケ原の敗戦国である。幕府には恨みがあった。が、土佐藩のばあい敗戦者は旧長曾我部家の遺臣の子孫である軽格連中であり、藩公以下上士は、戦勝者であった。自然、佐幕主義たらざるをえない。

桜の季節もすぎたころ、土佐と伊予の国境いの山間、立川口(たちかわぐち)に入ってきた眼のするど

い武士二人がある。

土佐は、薩摩ほどではないが、それでも他国の者の入国はやかましい。

「もうし」

と、庄屋の手代が見とがめた。ここでは関所はなく、庄屋が、街道の出入りの責任をもたされている。

「お武家さまは、いずかたのお方にて、いずかたへ参られます」

「わしは水戸藩士住谷寅之介（すみやとらのすけ）、これなるはおなじく大胡聿蔵（おおごしんぞう）。ここより山をくだって高知城下へ参る」

「お手形は？」

「ない」

手代は、ふるえあがった。人相容貌、盗賊に似ている。

「まことにお持ちではござりませぬので」

「ない」

「されば、お通し申しあげるわけには参りませぬ」

すでに、人がたかっている。庄屋の人数のほかに、近在の郷士、地下浪人まで出てきて不穏の形勢である。

斬り破って山をくだるのは住谷、大胡の実力からみていとやすいが、それではかれらの入国の本意がとげられない。

住谷寅之介は、この山村の者こそ名は知らないが、すでに天下に鳴りひびいている尊攘運動家である。

水戸藩馬廻役二百石。というより、藤田東湖亡きあとの水戸イデオロギーの鼓吹者として名が高い。

安政ノ大獄後、にわかに水戸藩の政壇、論壇における勢力がおちたために、住谷は大いに嘆き、諸国遊説に旅立った。

当時、水戸藩はいわば尊王攘夷思想の大本山で、薩長土三藩の士をはじめ、諸国のいわゆる志士は、水戸を精神の故郷としている。

その大本山の、いわば布教僧として住谷寅之介は、土佐に来たのである。

「まあ、よい」

と、住谷は、手代にいった。

「入国はあきらめよう。しかし頼みがふたつある。かなえてくれるか」

「なんでございます」

「一つは、きょうは庄屋殿の屋敷に泊めてもらうことだ」

「いまひとつは?」

「この土佐で、時流を嘆き、御国のゆくすえを憂え、しかも談ずるに足る士がおるか」

「はて」

まわりの郷士や地下浪人が、なぞなぞのようなこの質問をめぐって、首をあつめて協議した。

二人の名が出た。

坂本竜馬と、武市半平太である。

しかし武市は、いま江戸にあって、在国していない。

「されば、お城下本町筋一丁目の郷士にて坂本竜馬という者が、お質ねのそれに適う者かと存じます」

「その坂本氏をここまで呼んでもらえぬか」


朝から、小雨がふっている。

竜馬の部屋からみえる庭の山桃のぶの厚い緑が、いちだんと美しい。

（ふむ？　住谷寅之介）

立川口の庄屋からきた使いが帰ったあとも竜馬は、変な顔でいる。

はじめてきく名なのである。

（会おうというなら行かずばなるまいが、こまったな）

同志の連中を呼んでみた。
五、六人集まった。
みな、どの顔をみても、色の真黒い垢ぬけのせぬ田舎侍である。

「オンしら、聞くが、水戸藩の志士で天下にその人ありと知られた住谷寅之介という仁を知らんか」

「知らんの」

みな顔をみあわせた。

「それほどの名士か」

「おうさ。東湖（藤田）なきあとの東湖といわれて、名声、海内にさくさくたる豪傑じゃ」

「竜馬、お前、知っちょるかの」

「いや、右の次第は、庄屋の使いの小者からきいたのじゃ」

「小者でも知っちょる名か」

「いや、小者は当人から聞いた、ちゅ」

「にせではあるまいの」

「ばかに疑う」

竜馬は、わが田舎同志どもがおかしくなった。本物の名もきいたこともないのに、にせもあったものではなかろう。

「とにかく、どれほどの人物か、たしかめにゆく。連れは、お前とお前」

と、竜馬は、若侍のなかで人一倍のおどけ者と、唄上手を指名した。

おどけ者は、甲藤馬太郎。

唄上手は、川久保の為やんこと、為之介。

「行くぞよ」

と、三人は、笠、ミノで雨をしのぎながら城下を発った。おどけ者の馬太郎は三升酒といわれた男で、樽で酒五升を背負い、為やんも、五升背負っている。

城下から立川口の山中まで、道中十二里。

ふつうなら、途中一泊して行くところだが、この三人は、馬のように足が達者にできている。

さいわい雨は日没前にやんだので、ぬかるみをころびながら山坂をのぼった。

「なあ、坂本さんよ、水戸の住谷先生ちゅうのは、どのくらい飲むのかい」

田舎者の無智と純情さで、おどけ者の馬太郎などは、酒を飲ませることばかり考えていた。

一方住谷寅之介は、安政ノ大獄で自分のほうの水戸勤王派が潰滅同然になっているため、全国的な機運をもりあげ、とくに西国の雄藩の志士と提携し、幕府の行き方に対する強力な批判態勢をつくりあげようとしていた。

すでに、越前松平藩、芸州広島藩、長州毛利藩など雄藩のそうそうたる有志を説きおわって、いま土佐藩にやってきた。

住谷には期待がある。

どれほどの論客が、自分の前にあらわれるのであろうか、と。

竜馬、おどけの馬太郎、唄上手の為之介が立川口の庄屋屋敷に到着したのは、すでに夜ふけであった。

馬太郎が、門扉を乱打してやっと小者をおこし、つづいて庄屋を起こさせ、

「高知から、坂本竜馬をはじめ、甲藤馬太郎、川久保為之介がただいままかり越した。水戸の住谷先生に取りついでもらいたい」

深夜である。

どうかしている。

住谷寅之介は、熟睡中をおこされて、それがまず神経にさわった。

(田舎者じゃな)

とおもうのだ。横に寝ていた大胡聿蔵も、しぶしぶ起きあがった。

「いま、何刻だろう」

「さあ。こう冷えるようでは、そろそろ丑ノ刻(午前二時)に近いのではないか」

「丑ノ刻。明朝、来ればいいのに」

そこへ、廊下のむこうからがやがやしゃべる声が近づいてきて、やがて、田舎侍どもが隣室へ入った模様であった。

住谷、大胡が口をすすいでから出てみると、おどけの馬太郎が、

「これは、これは」

とおどろいてみせた。寅之介は六尺ちかい大男だったからである。

「水戸藩の住谷寅之介です。こちらは同じく大胡聿蔵」

「おくれました」

名乗りおわると、土佐藩側が、それぞれ名乗った。

と、おどけの馬太郎は屋敷の使用人どもをよび入れて、

「さあさあ、支度じゃ支度じゃ」

と、さわがしく座敷をかけまわり、唄上手の為之介も立ちあがって、座敷を出たり入ったりしはじめた。

話もなにも、あったものではない。

「坂本氏」

と、住谷は神経質な男だ。にがりきっていった。

「土佐人はにぎやかでござるな」

「左様ですかな」

竜馬はあごをなでている。

やがて、酒席ができた。

「まあ、お一つ」

と、おどけの馬太郎は、徳利を近づけてきた。住谷は、酒がのめない。

「不調法でござる」

とことわったが、馬太郎も為之介も、そんな生やさしいことわりで引きさがる男では

ない。

むりやりに杯をもたせた。その杯ときたら、五勺は入りそうな、ばか大きな容器である。

「か、かような杯は」

と、すこしは酒がのめる大胡聿蔵も、閉口したらしい。

「大胡先生は、いかほどお飲めになります」

「少々は」

「はあ、二升でござるか」

「いや、少々でござる」

「升々でござろう」

これが土佐の悪風である。遠来の客が酔いつぶれて血へどを吐きそうになったところを見とどけてから、

——本夕の接待はうまくいった。

と安堵するのだ。そういう接待法の狂信徒のようなのが、馬太郎と為之介である。

「ささ、一つ、一つ」

と、馬と為は注いでまわる。

酒は、土佐の佐川郷で吟醸される司牡丹である。土佐人ごのみの辛口で、一升半の

んでから口中にやっとほのかな甘味を生じ、いよいよ杯がすすむという酒豪用の酒である。

馬太郎、為之介のふたりは、客に注ぎながらも、注がれ上手でたくみに杯をかさね、ちょうど一升入ったところで、

「さあさ、おなぐさみに、唄を一つ仕(つかまつ)りましょう」

と、いった。

「いやさ。それはありがとうござるが」

と、住谷寅之介はにがりきっていった。

「われわれは、酒を飲みに参ったのでもなく唄をききに参ったのでもござらぬ。国事を談ずるために参った。たがいに、酔いつぶれぬうちに、談じよう」

「おかたい、おかたい」

と、おどけの馬太郎は、もうすっかり酔態を呈している。

「為之介よ。早う唄をやらんかい。住谷先生があぁ申されるようでは、まだ座が白けちょる」

「引きうけた」

為之介が、掌(て)をたたいて、顔に似合わぬ美声で歌いはじめた。

馬太郎が、箸をもち、茶碗太鼓で拍子をとっている。

(こまったな)

住谷寅之介は江戸育ちだから、こういう田舎者のあくの強い接待はにが手だった。

唄がおわると、土佐側は、それも余興のつもりで、互いに箸拳を打ちはじめた。

「ひやっ」

という気合でコブシをつきだし、拳を打つ。たがいのコブシにかくしている箸の数についてルールがあり、負けると罰杯として酒を飲む。

「どうじゃあっ」

「ひゃっ」

「どうじゃあっ」

「ひやっ」

と大騒ぎになった。

住谷も大胡も、ぼう然としている。

「坂本氏。もう酒も余興も、このへんでよいではござらんか」

「馬、為、やめろ」

と、竜馬も苦笑して声をかけた。正直なところ、竜馬も、相棒どもの喧騒な誠意には疲れはじめていた。

しかし、馬と為のためには弁じておいてやらねばならない。

「なにしろ、天下の住谷、大胡先生が見えちょると申すので、この者ども、雨中に樽を背負って山坂をのぼってきたのでござる。これが土佐の作法でござるゆえ、おゆるしくだされ」

「ところで」

と、住谷寅之介はひざをすすめ、幕閣の内幕、諸藩の内情をつぶさに物語りはじめた。説くところ明快で、語るところ、流暢である。

竜馬は、にこにこ笑ってうなずいている。

が、住谷が、「この点、どう思いなさる」とか、「御藩ではどうであるか」などと反問しても、為、馬の二人はむろんのこと、土佐では坂本、といわれた竜馬も、ろくに答えられない。答えようにも、幕閣の情勢など、なにも知らないのである。

(とんでもない大田舎にきた)

住谷寅之介の秀麗な面に、失望の色がうかんだ。

このとき竜馬以下三人の土佐侍が、住谷寅之介には、いかにも田舎臭くみえたようである。

現在残っている水戸の志士住谷寅之介の日記には、

「外両人は国家の事一切不知」

とある。手きびしい。

日記でいう外両人とは、むろん、おどけの馬太郎と、唄上手の為之介のことだ。馬も、為も、土佐国内ではいっぱしの「勤王の士」だが、天下第一流の住谷寅之介からみれば、たんに田園の青年で、「国家のこと一切知らず」も、むりはあるまい。しかし、こうみそくそにやられては馬も為も可哀そうで、とにかく二人は田舎者の律義で、十二里の道を、酒樽までかついで天下の水戸藩の志士を慰めるに懸命だったのである。

日記は、さらにいう。

「竜馬迚(とて)も、役人（幕府の老中、若年寄、外国奉行など）の名前さへ更に不知(しらず)」

住谷は、席上、

「幕閣の何(なに)の守(かみ)はこういう考え方で、何の守はしかじかの人物だ、これでは、洋夷を撃ちはらうどころか、かれらに侮辱され、ついには神州を失うにいたる」

などと悲憤慷慨したのだが、ともに憤慨すべき竜馬のほうは、何の守、何の守の、名前さえ知らなかったというのだ。これでは、土佐藩有志の蹶起(けっき)をうながすどころか、野末の石地蔵にものをいいにきたようなものである。

「空敷(むなしく)、日を費(ついや)し、遺憾(いかん)々々」

と書いている。わざわざ遠国(おんごく)の土佐まできたのはむだであった、と自分のおろかさをなげいている。

竜馬も、よほど薄ぼんやりしていたのだろう。

ただ、この日記には、竜馬のことを、

「頗可愛(すこぶるあいすべき)人物なり」

と書いている。志士論客、というより、愛すべき人物として住谷の眼にうつった。この「愛すべき人物」が、のちに天下に対し異常な力をふるうにいたるとは、さすがの住谷も見ぬくことができなかった。

竜馬も、竜馬なのだ。

別れるときも、住谷のよき論友になれなかったことを気の毒がり、

「こんなときに、武市半平太がおりましたらなあ」

と、しきりにいった。

「武市氏の名はきいていますが、それほどの高説の持ちぬしですか」

「ほにほに」

「え？」

「そのとおりです。あれは、城下でも名代の天皇好きですきにな。お前さんとはきっとうまがあいます」

これでは住谷も、(愛すべし)というほか印象の書きようがなかったろう。

住谷はその後、水戸藩主徳川慶篤が京に入ってから、京都屋敷で大番組軍用掛心得になり、さらに京師警衛指揮役という水戸藩の京都隊長などをつとめ、過激公卿とつきあって大いに時務を論じたりしたが、大した大仕事もできぬまに、慶応三年六月十三日祇園祭の夜、京の鴨川松原河原で通行中を、物盗りの武士に殺された。

桜田門外ノ変ののち、いよいよ騒然となった天下の情勢を検討するために江戸で諸藩

の同志と会合していた武市半平太が、土佐に帰来したのは、文久元年八月である。

大坂から海路、四国に入った武市が、阿波領のおおぼけの奇勝をみながら四国山脈を越え、土佐領穴内川（あなないがわ）の谿谷（けいこく）をくだって高知平野に入ったときは、文字どおり胸がおどるような気持であった。

（やる。——）

胸中、秘策がある。

はるか、西の天の下に、高知城の天守閣がみえた。

武市は、領石（りょうせき）の坂をくだりながら、かすかに目礼した。

謹直な男だ。

武市が、竜馬をはじめ、土佐七郡の郷士の気質とわずかにちがう点は、藩を重んじ、藩公を尊んでいた点である。むろん、武市の謹直な性格にもよるだろう。

しかし、別に、一理由がある。

武市家は、代々、旧長曾我部党の郷士であったが、祖父半八のときに、多少の金も出来、有力なつてもあったので、郷士としては破格な抜擢をうけた。

家格は「白札」というものになったのである。白札とは、土佐独特の階級で、上士の最下級の称号である。

といってもあくまでも「上士」ではない、というえたいの知れぬぬえ的な階級なのである。旧陸海軍の階級でいえば、実際は下士官としての礼遇をうける准士官（陸軍では旧特務曹長、海軍では旧兵曹長）にやや近いであろう。

「この白札とは、妙な一種の階級で」

と、武市と同時代の土佐藩士で明治後侯爵になった佐佐木高行はいっている。

「郷士の上に位し、上士と同じく旅行の折りには供に槍を持たせることができるが、かといって上士から呼びすてにされる。また上士ならばその妻子眷族（けんぞく）まで、晴天には日傘をさすことができるが、白札は当主だけがそれをゆるされ、妻子は郷士同様、日傘はさすことができない」

まったく、妙な身分である。

しかし、白札が一般の郷士とはちがう恩典は、上士同様、殿様にお目見得できることであった。これは、おなじ侍ながら、郷士とは天と地のちがいである。竜馬ら、土佐七郡の旧長曾我部遺臣は、関ケ原後三百年、ある意味では藩から俘虜的待遇をうけてきたといっていい。

武市は、郷士は郷士ながらも、他の同類とちがって、藩主への親しみがある。

だからこそ、領石で、はるかに高知城に目礼したのだが、同時に武市のこの立場と気持は、今後のかれの政治的立場に、微妙な影をおとすことになる。

が、この項ではそれは余談。

武市の胸中に燃えあがっている、日本はじまって以来の奇怪な炎こそ、問題にすべきであろう。

この炎は、いまに日本中に燃えあがり、幕府、諸藩を焼きつくすことになるかもしれないが、当節では、日本中のたれもが知らない。ただ、武市と江戸で密会した薩摩の樺山三円、長州の桂小五郎、久坂玄瑞、高杉晋作らをのぞいては。

武市は、すぐには高知城下に入らず、老父半右衛門が隠棲している吹井の屋敷に足をとどめ、帰国のあいさつをした。

あたりは、五台山から続いている丘陵の山あいで、盆景のように美しい。武市半平太がうまれた郷士屋敷は、その丘陵の中腹にあり、石垣を高く積んだ長屋門をめぐらし、砦の形相をおびている。

その砦めかしい姿は、いかにも、戦国争乱の昔からこの辺に土着してきた小豪族の威風をとどめている。

（この屋敷はこんにちも残っている。三十八年早春、筆者がたずねたときには、母屋を修理中であった。県の文化財に指定されているらしい。もちぬしは変わっていて、表札に、坂本、とあった。竜馬の坂本家とは無縁で、偶然の同姓らしい）。

武市は、江戸で薩長の有志数人と密約した天下顚覆の密謀などは、家人に話さず、江戸みやげの道中絵などを、みなにくばってやって、縁側からおだやかに初秋の空などをながめていた。

（あすは妻に会えるな）

そんなことを考えている。

このもの静かな男から、驚天動地な大陰謀を思いたつような、そんな血の多さはいささかも感じられない。

武市は、妻のために、江戸みやげとしてさんごのかんざしを買い、旅荷の底に秘めている。妻のよろこぶ顔が眼にうかぶようで、それを思うと、武市の胸にほのぼのとした愛(かな)しみがみちてくる。

実をいうと、土佐藩では、いまの参政吉田東洋が就任するまでは徹底的な倹約令が布(し)かれ、かんざしも、金銀さんごのたぐいは売ることも使用することも禁じられていた。武市の二十ごろに起こった例の「お馬・純信」の恋愛事件も、よさこい節にあるように、たしかに播磨屋橋で純信坊主がお馬に贈るかんざしを買いはしたが、その現物たるや、馬の骨に赤い染料をぬってさんご類似の感じを出しただけの粗末なものである。

派手ずきの参政吉田東洋によって、倹約令はすこしはゆるめられた。といっても、吉田東洋の政策は、奇妙なことに経済政策的な動機から出ているのではない。

もっと、わらうべき動機から出ている。

「上士には、体面がある。しわばんだ綿服などを用いていては、郷士や庶人の軽侮をまねくことになる。上士にかぎり、威厳をととのえるために多少のぜいたくはしろ」

というものであった。倹約令をゆるめたのは主として上士とその家族に対してだけで、郷士に対しては依然手きびしい。いわば、土佐藩らしい階級政策なのである。

武市は、上士のはしくれ、郷士の上、という白札の身分だから、妻の髪をさんごのかんざしで飾ってやれるというわけであった。

翌日、城下新町田淵町の家に帰った。

「留守中、患(わずら)いはせなんだか」

と、妻の富子にきいたのが、第一声である。

が、夫婦の語らいをするいとまもなく、友人、門人連中がぞくぞくとあつまってきて、富子は、その接待に忙殺されてしまった。

武市半平太の愛妻ぶりというのは、城下でも有名であった。

不幸にも、子がない。

あるとき門下の連中があつまり、たまたま武市家に子のないことが話題になった。

これは当時の武家の家庭では重大なことで、子がなければ（養子でも迎えぬかぎり）改易(かいえき)になる。つまり、家名断絶、家禄没収ということになるのだ。

そういう理由だけでなく、先祖の祭祀(さいし)が絶えるということは最大の道徳悪のひとつとされた。当然なことである。武士の家というのは先祖の功名によって子々孫々家禄を頂戴できる。その報恩の行事が祭祀である。自然、祭祀をひきつぐべき子がないというのは、父祖への不孝になる。

——子なきは去る。

という、いわば婦人蔑視の不文律は、こういう事情からできたわけである。

――妬婦は去る。

という不文律もここから出ている。妻が子をなさなかった場合、諸侯以下の武家ではきわめて実利的な理由から妾をおくことが公認されるわけだが、妻はそれを嫉妬してはならぬ、というのである。

そこで、門下生のひとりで、茶目で通った吉村寅太郎（のち天誅組の首謀者として大和で討死）が一案を講じ、半平太の妻富子に会い、

「これは瑞山先生（半平太のこと）には内緒でござるが、先生のあの御気象ゆえ、妾などはお置きなさるまい。されば」

と、声をひそめた。吉村の案では、富子を病気のせいにしてしかるべき海辺の親戚に転地させ、その間、若い下女を置く。いかに謹直な武市先生でも、一月も若い女と起居すればお手がつくであろう、という陰謀である。

「いいでしょう」

富子も、この茶目な陰謀に一緒に笑いころげて、うなずいた。しかし実のところ、富子がどんな心境でこれを聞いたか、彼女自身の身になってみなければわからない。

とにかく、富子は病気静養に出た。

かわって武市の身のまわりの世話をしたのは、吉村寅太郎が、自分の在所から推薦した娘である。在所とは高岡郡津野山郷北川村で、むろん山里の産だが、細面の可愛い

娘であった。

ときどき吉村が武市家に様子をうかがいに行っては、娘に、

「どうじゃった」

ときくが、一向に武市が手を出したような様子もない。

ついに一月、何事もなくすぎてしまって、吉村のいたずらも水の泡になった。やがて富子が、仮病の療養さきから戻ってきたとき、半平太は富子が涙ぐむほどよろこんだという。

武市半平太が帰った夜、竜馬が例によってのそのそとやってきた。

「竜馬、待っていた」

武市は、富子を遠慮させた。それほど愛している富子にさえ入室を遠慮させたのは、よほどの重大事なのだろう。

竜馬はすわった。

「じつは、江戸ではこうじゃった」

と武市半平太はいった。

薩長土三藩有志の密会の場所となったのは麻布の長州藩邸である。この藩邸内に空家が一棟あり、それまでも諸藩の有志の会合にしばしばつかわれていた。

竜馬も、江戸にいたころ、そこで桂小五郎と一、二度痛飲したことがあるから、十分

にその情景を想像することができた。

「あれはきたないあき家であったなあ」

「いまもきたないが、ここではじめて、桜田門の十八烈士（水戸人十七名、薩摩人一名）の書いた長文の斬奸状を見、総身の血のたぎるのをおぼえた。自然、話は、かれらの大志をむだにしてはならぬ、ということになり、論ずるうちに次第に熱してきて、ついに幕府を倒そうということになった。どうじゃ」

「よかろう」

竜馬は、鼻毛をむしっている。

「竜馬、鼻毛は不謹慎ではないか」

「そうかな」

竜馬は手をひっこめた。

「倒幕は、薩長土三藩をもってやる。しかしながら、三藩は西国を代表する雄藩なれども俗論がそれぞれの藩を支配している」

「ふむ」

そのとおりだ。

どの藩の重役も、お家大事、幕府おそるべし、という三百年の伝統感情がかさぶたのようにはってしまって、なまやさしいことでは藩論をくつがえすことができない。

麻布屋敷の空家にわずか数人の三藩の有志があつまったところで、かれらが政権をとっているわけではなし、所詮は書生論になろう。

「とにかく」

武市のほおは紅潮した。

「倒幕実施は明年。時を期し、歩武をそろえ、三藩の兵大挙して京都に集結し、天皇を奉戴していっせいに勤王の義軍をあげる。そのためには、それぞれ自藩に帰って重役を説き、藩主を説き、藩論を勤王倒幕へまとめる」

勤王倒幕。

そういう言葉が、史上、実際運動の政治用語として用いられたのは、この麻布の空家での密会のときが最初であった。それまでは尊王攘夷という言葉はあったが、

「倒幕」

という衝撃的な言葉がつかわれたのは、おそらくこのときが最初であろう。

(しかし、果して可能か)

夢物語に似ている。

薩長二藩の政情もさることながら、土佐藩にいたっては、藩主、参政、上士、ことごとく頑固な親幕派である。かれらの考えをくつがえすのは、武市の腕力で五台山をひっくりかえすよりもむずかしい。

「ゆえに、衆の力でやろうと思う」

「衆の力？」

「土佐七郡の山野に土着している郷士を集結して土佐勤王党をつくるのだ。竜馬、お前がその首領になってくれるかい」

「それは半平太がなれ」

深い理由はない。衆の力をたのんで一揆のように騒ぐのは、竜馬は、ちょっと自分の好みにあわないような気がしたのである。竜馬には竜馬にふさわしい道があろうと思った。

「されば、首領はわしがやる。しかし竜馬、お前がたすけてくれねばこまるぞ」

「あたり前じゃ」

「竜馬、金打」

武市は、南海太郎作の大刀を、膝の上に横たえて、ツカをにぎった。古来、武士の誓約の作法である。自分の佩刀の鍔元を、カチリと打ちあわせて、二言はない、というしるしにする。

が、竜馬はにやりと笑って、

「なんの金打じゃ」

といった。これには、武市もあきれた。たったいま、説明したばかりではないか。

「竜馬、それはこうじゃ。わしと行を共にし、生死を共にし、たがいに手をとりあって藩論を統一し、倒幕の義軍をおこすということじゃ」

「金打はせぬ」

「なぜじゃ」

「半平太も知っておろう。わしのことじゃ。どこでどう気持がかわるかもわからん。そんな男と金打しても、お前が心もとなかろう」

「おどろいたな」

「しかし、誓って幕府は倒す。地に坂本竜馬があるかぎり、幕府は倒してみせる。が、わしの法でやる」

「どんな法じゃ」

「それが、まだみつからん」

「妙な男じゃ」

武市は、笑いだした。

が、竜馬は笑わない。

「それがみつかるまでのあいだは、お前の壮挙をたすけよう」

「変わっちょる」

「かわっちょらんじゃろ。世にやたらと金打する者があるが、それこそ変わっちょる」

「竜馬」

武市は、真顔になった。

「お前とわしとは、仲がよい。仲がよいが、人間のなりたちは、黒と白とほどに違うちょるようじゃ。なりたちがちがえば、考えもちがう。いずれは、袂をわかつときが来るかもしれぬが、さしあたって、土佐勤王党の結成だけは賛成してくれような」

「金打」

竜馬は、佩刀の鍔を鳴らした。

武市も、自分の大刀をとりなおして、音高く鳴らした。

「竜馬。——」

手をにぎった。武市の掌は大きい。竜馬の手は、それよりも大きかった。たがいに握りあっているうちに、もはや、天下の計は半ば成ったのではないかという思いが、武市の胸にも、竜馬の胸にも、潮の満つるようにわきおこってきた。

——天下の英雄、君とわれと。

そういう感慨である。誇大妄想狂と笑う者はわらえ。竜馬は、眉に翳をつくり、めずらしく生真面目であった。武市も、こわい顔をつくっていた。やがて、武市の眼から、ぽろぽろと数条の涙がくだった。

「竜馬。武士の生命はいつ果てようとも潔かるべきものだが、おれたちの一生は、きょうから戦場に入ることになる」

「半平太、落ちつけ落ちつけ」

竜馬は、大声をだした。

すぐ笑った。やがて、涙が竜馬の眼にも宿り、落ちた。

その翌日から、竜馬は、毎日のように本町筋一丁目の屋敷を出た。武市半平太の屋敷へ、例の密謀の相談をしにゆくのである。

暑いころだ。

十日ほど経ってのこと。

竜馬は、襟もとをくつろげ、風を入れながら、この日も東へむかって歩いた。高知の城下は、潮江川（いまは鏡川）に沿って東西に長い市街である。竜馬の町は市街の西、武市の新町田淵町は東のはし、そのあいだはざっと、十七、八丁ある。

そのあいだに、顔見知りの郷士の連中に、八、九人は出逢った。

みな、竜馬の顔をみると、意味ありげに微笑し、あいさつをしてゆく。

（うふふ。みな、知っちょる様子じゃな）

密謀の一件だ。武市の帰国以来、武市も竜馬も、この密謀についておもだった郷士の若者数人には耳打ちしておいたが、みな、とびあがるようにしてよろこんだ。

自然、仲間から仲間につたわって、いまでは、土佐七郡の山奥の郷士の耳にまで入っている様子なのである。

だから、町々ですれちがう郷士どもに竜馬が、

「ほんに暑いのう」

とあいさつしてやると、みな、ちょっと息を呑むような表情をして擦り寄ってきて、

「坂本さん、頼みますぞ」

などといった。かと思えば、

「竜馬、わしは役立たずな人間じゃ。しかし命だけは要らん。人間一ぴきの命、ぜひとも要るときは、わしを使うてくだされ」

などと、物騒なことをいう者もいた。この日、擦れちがった者のなかだけでも、維新後まで生き残った者は幾人いたろう。

那須信吾
安岡金馬
大利鼎吉(おおりていきち)

みな、風雲のなかに斃(たお)れている。

地熱が、高まりはじめている。土佐七郡の草木が、しずかにそよぎはじめていた。いずれ地鳴りが七彩の雲をよび、地動をよび、天下を驚倒させることになるのではあるまいか。

もっとも、出あったのは、こういう連中ばかりではない。播磨屋橋を渡り、菜園場(さいえんば)（藩公の食膳にあげる蔬菜の園芸場）まできたとき妙な漢(おとこ)に出あった。

眼つきがするどく、下あごがいかにも頑丈で、上あごへつきあげ、への字の唇の線で力まかせにがちあっているような顔である。

「坂本」

壮漢が、声をかけた。例の安芸郡井ノ口村の地下浪人岩崎弥太郎であった。

むろん、弥太郎はすでに牢からは出ている。その後村を離れて城下の西南鴨田村に浪居をかまえ、寺子屋をひらいているうちに、いまの参政吉田東洋が一時罪を得て同様長浜村で流謫の生活をしているうちに見出され、東洋の復職とともに「下横目」という役に抜擢された。

いうまでもなく卑賤の役である。郷士の動静、非道を探偵する役目である。


「あの節は、厄介になったな」

と、岩崎は、ゆだんのない眼でいった。

（わるいやつに逢ったなあ）

竜馬は、内心、閉口している。どうせ、密謀の一件を耳にしてこのあたりを嗅ぎまわっているのだろう。

「あの節は、厄介になった」

と岩崎弥太郎はもう一度いった。

そのくせ、眼つきには感激などはこもっていない。竜馬の表情、風体などを、ゆだんなく注意している。

「弥太郎、こわい眼じゃなあ」

竜馬は、くすくす笑った。

「お前、下横目になっちょるげな」

「なっちょる」

弥太郎はにこりともせずうなずいた。竜馬とおなじ階級の出ながら、上士の走狗になっているのである。

「えらいものになったなあ。弥太郎、たださえ悪い顔つきが、いよいよ帯屋町の閻魔堂にすわってござるご本尊に似てきおったぞ」

「やむを得ん。大恩ある吉田東洋先生がせっかく推挙してくださったのじゃ。わしは下横目などはどうかと思うちょるが、なった以上は、びしびしやるぞ。竜馬、恩は恩。役目は役目じゃ。お前、いまからどこへ行く」

むろん武市家へ、とは、下横目の弥太郎は百も承知の上で訊きただしている。どころか、例の土佐郷士団結の密謀も、弥太郎の耳にちゃんと入っていた。それでこの数日、走りまわっているのだ。

「どうじゃ、竜馬」

「弥太郎よ」

竜馬は懐ろ手のまま歩きだした。弥太郎はやむなく肩をならべて歩きだしたが、竜馬の抜き打ちを警戒して左側、やや背後にまわっている。

「なあ、弥太郎よ」

赤トンボが、竜馬の頭上を舞っている。竜馬はそいつをつかもうとして飛びあがった。

「行くさきは、武市半平太の家じゃ。そこで何を議するか、下横目としては知りたかろう。教えてやろうか」

「おい、早く言え」

竜馬は、赤トンボをつかんだ。

弥太郎は、気味わるくなった。この竜馬がにが手なのだ。弥太郎は弥太郎で、自分を万人に傑出した人材だとひそかに自負している。学問もある。文章を書かせれば、参政吉田東洋が舌をまいたほどの名文をかく。気概もある。精力もある。下横目をつとめながらも、下級武士の境涯に見きりをつけて、おりあらば両刀をすてて商人になってやろうとひそかに野望を練っている。そういう自分だ。

が、竜馬だけはにが手である。この男は自分ほどの学問はない。が、思考法がまるで常人とちがうようである。何を考え、何をいいだすか、弥太郎ほどの男でも見当がつかない。

この瞬間が、そうだった。

「弥太郎、わしァ、謀叛を思案しちょる」

「えっ」

いやな男だ、と思った。

「天下顚覆の大謀叛じゃ。驚くな。いまにこの土佐の田舎からあたらしい日本が、むらむらとうまれてくるわい」

「ほらなものかい。弥太郎、お前がいま立っちょる土佐の高知の菜園場前のこの土地が」

「法螺を吹くな」

と竜馬はしゃがんで、大地をドンと打ち、

「やがて世界を動かす軸になるぞ」

法螺もここまで大法螺になれば、下横目として取締りようがないと思った。

新町田淵町の武市半平太の屋敷では、すでに十人の人数があつまっている。

「竜馬、おそかったな」

と、半平太がいった。

「ああ、そこで岩崎に出会うたキニ」

「なに、下横目の岩崎めに？」

剣術自慢の島村衛吉が立とうとした。河野万寿弥（のちに敏鎌とあらためた。維新後内務、文部、農商務、司法大臣を歴任、子爵）などはすでに部屋からとびだしている。ひっとらえるつもりだろう。

「よせ。あいつも、商売じゃ」

竜馬は、刀を投げだしてすわった。

半平太が、巻紙をさらりとひらき、

「竜馬、血盟文の起草ができた」

と、大きなあごをあげた。

「おお、出来たか」

達筆である。

文章は、城下の国学者鹿持雅澄（かもちまさずみ）の門下である大石弥太郎が起草した。

大石は国学的素養があるだけに、和漢混淆（わかんこんこう）の名文である。が、文意は激越なものだ。

――堂々たる神州、夷狄（いてき）の辱しめを受け、古より伝はれる大和魂（やまとだましい）も今はすでに絶えなんと。

からはじまり、全文四百余字。言葉の一つ一つが、歯をむき、牙を出し、火のような気息を吐いている。

――かの大和魂を奮ひ起し、異姓兄弟の結びをなし（中略）、錦旗（きんき）一たび揚（あが）らば、団結して水火をも踏む。

「どうだ。大石が三日三晩考えぬいて練りあげたものだ」

「結構だ」

とはいったが、竜馬は、気質としてこういう美文はあまり好きではない。粉飾がきらいなたちだ。しかし、美文がときにとって異様な働きをすることを知っている。それは酒に似ている。とくにこの場合、この詩にも似た四百余字の激越な文章は、七郡の士を酔わせるに足るだろう。

「されば竜馬。署名を」

半平太は、硯を押しやった。

竜馬は、無造作に筆をとり、坂本竜馬直陰（のち直柔）と大書してから脇差をぬいた。切尖に小指をあて、ぷつりと突き、十分に血をしぼり出してから、ぴたりと紙にあてた。血判である。

その後、血判加盟する者がぞくぞくとふえ、ついに百九十二名に達した。

なおこのほかに、事情あって血判署名にまではいたらなかったが、同志をもってみずから任じた者が、ざっと百人。

あわせて二百数十人である。

このうち、多くは幕末の風雲に斃れたが、維新後わずかに生き残って、維新政府の顕官、華族に列した者は、田中光顕、佐佐木高行、土方久元、河野敏鎌、岩村通俊、清岡公張、南部甕男、尾崎忠治、野村維章、岡内重俊、中嶋信行、小幡美稲、片岡盛馬、石田英吉、岩村高俊、岩神昂、古沢滋、大江卓、安岡良亮、斎藤利行、西山志澄、などがいる。

連名のなかには、上士のなかからも、数人の同調者がいた。武市がたくみに誘いこんだものだろう。

これら二百数十人の若者は、一般に、

土佐勤王党

とよばれた。もはや、これだけの多数になっては、藩庁も、軽々に手をくだせない。

「なんじゃろ、竜馬、あれは」

武市半平太が、きき耳をたてた。

門外で、しきりと罵声がする。なにやら、喧嘩がはじまっているらしい。

「えらい騒(ほた)えちょるのう。どうやら、島村と河野の声らしいが」

「よし、行っちゃる」

竜馬は立ちあがった。およその推察はついている。島村衛吉、河野万寿弥が、藩の下横目の岩崎弥太郎をひっとらえたのだろう。

(弥太郎もばかなやつだ。あのまま帰ればいいのに、屋敷をのぞきこんでいたのだろう)

路上に出てみると、なるほど思ったとおりである。

島村衛吉が、岩崎の胸倉をつかまえ、河野が背後にまわっている。

「岩崎、白状せんか。いま、ここで何をしちょった」

「放せ。――」

と岩崎はいった。

胸倉をとられながらも、さすがにこの男は沈着なものだ。

「おのれら、よう料簡(りようけん)せい。役人に無礼を働くと、あとのたたりがおそろしいぞ」

「ふん、自慢るなや。お前のような不浄役人を怖れちょって、国事が談ぜらるるかい」

島村がいった。天下国家を論じていると気持が壮大になってきて、藩役人など何するものぞという気概になってくる。

竜馬は、それをみておかしくなった。

「河野、島村。放してやれ」

「いや、坂本の言葉ながら放せられん。この岩崎めは鼠賊のように人の屋敷を窺うちょった」

「わかった」

竜馬は、岩崎の胸をつかんでいる島村の手をもぎとり、

「なあ、岩崎。お前も役目じゃ。窺いもしたかろう。わしが役人でもそうする。されば、来い」

「どこへ行くのじゃ」

岩崎はふてくされていった。

「屋敷へ入れ」

「えっ」

「当屋敷にあつまっている連中は、俯仰天地に愧じざる問答をしちょる。それを書きとって藩庁へ報告せい」

「坂本。――」

河野万寿弥がおどろいた。

「こいつは下横目じゃぞ」

「わかっちょる。しかしながら、岩崎弥太郎は一個の男子じゃ。みろ、この面構えを」

むっ、と岩崎はこわい顔をした。無愛想な岩で刻んだような面つきである。お世辞にも可愛いとはいえない。

「漢の面をしちょる。河野、島村。お前らが漢であれば、漢として遇してやれ。さもなければ天下はとれんぞ」

「そうか」

河野も島村も、竜馬の心酔者である。おだやかになった。

が、一向におだやかにならないのは、当の岩崎弥太郎である。

「坂本、恩には着んぞ」

悠々と菜園場のほうへ立ち去った。

(負けおしみの強い奴じゃ)

おかしくなったが、しかし竜馬にとっては武市屋敷に集まっている壮士たちよりも、岩崎のような男のほうが魅力がある。

竜馬は、その夜遅くまで半平太と談じ、辞去したのは、戌ノ下刻である。

本町の屋敷から源おんちゃんが、提灯をもって迎えにきてくれた。

おんちゃんは、竜馬の足もとを照らして歩きながら、いい気持そうであった。どうやら、竜馬を待っているあいだ、武市夫人から酒をふるまわれたらしい。

「武市先生のお裏様はよいお方でござりますな」

と、おんちゃんは現金なものであった。

「いい人だ」

「ぼんさまも、早う貰わねばなりませぬ」

「ならんかな」

「なりませぬとも。それとも、早や、お好きな令嬢（さま）でも、心にあられますか。そのようなら、この源にお明しなされませ」

源おんちゃんは、いつまでも竜馬が少年のように思えるらしい。

「権平様（だんなさま）に、それとのう、申しあげてさしあげまするで。それともぼんさまは、成らぬ縁のお方を想うちょるのではありませぬかえ」

「たれのことだ」

「福岡様のお田鶴さま」

「ばかめ」

竜馬は、路傍の石を一つ、蹴った。お田鶴さまは成らぬ縁のひとだ。家老の妹と、郷士の次男坊が、夫婦になれるはずがない。

「ぼんさまよ」

源おんちゃんの声は、心配そうだ。

「想うても詮ないひとを、いつまでも想うちょると、男子、志を喪うて肝が萎えちぢみ腑ぬけのようになると申しますぞ」

「おれが腑ぬけにみえるか」

「まあ。……」

どうやら見えるらしい。

源おんちゃんの眼からすれば、せっかく江戸一の道場で免許皆伝をもらって帰国したくせに、帰国後、道場もひらかず、嫁ももらわず、ぶらぶら暮らしているのが、ふしぎでならないのだろう。

「ぼんさまだけは、見そこないましたな」

と、手きびしかった。

考えてみると、坂本の寝小便垂れといわれた鈍童のころから竜馬のどこを見込んだのか、(いやいや、ぼんさまは見込みがおじゃります)と亡父の八平や兄の権平にいってくれたのは、姉の乙女のほかには、この源おんちゃんだけだった。

「早う、よい女房様をもろうて、分家なされませ。源もついてゆきますぞ」

「そんなときが、おれに来るかな」

竜馬は、つるりと顔をなでた。

「おんちゃんよ、おれは、ひょっとしたら、土佐にあだたぬ男かも知れんな」

あだたぬとは、狭い土佐には適わぬ男だ、という意味の方言である。

竜馬は、なんとなくそんな気がする。土佐勤王党も大賛成ではあるが、島村や河野のような単純激烈な壮士どもと同じ文句を合唱するのも、どこかあだたない。

(まあ、しばらくは彼等と一緒にやってみることだ)

竜馬は、また一つ、石を蹴った。

頭上に、星が輝いている。

竜馬は星に尋ねたいような気持になった。なにかないか、と。自分にふさわしい天命がないものか、と。

風が、ひとしきり強くなっている。

待 宵 月

当時、高知城下の富商というのは、四軒あった。

城下の子供などは、それをまりつき唄にして辻々でうたった。

浅井の金持ち
川崎地(じ)持ち
上(かみ)の才谷屋(さいたにや)道具持ち
下(しも)の才谷屋娘持ち

富家というものははかないものである。西郷隆盛は「児孫のために美田を買わず」といったが、富などはいつまでも続くものではない。筆者が最近高知市を訪ねてきいたところでは、このうち三軒まではすでに数代前にほろんでいた。

四軒のうち、高知市内でなお存続し、隆盛なのは、川崎家のみであった。これは唄どおり山林地主で、先々代から育英事業に関心をもち、財の一部を割いて私立土佐高校を経営し、市民から特別な尊敬をうけている。

さて、竜馬のころ。

上の才谷屋は商家とはいえ、武士である竜馬の坂本家の本家にあたっている。家業は、質屋であった。だから、道具持ちと唄われたものであろう。

さきにものべたように、竜馬の坂本家の屋敷と才谷屋の屋敷とは、おなじ本町筋一丁目にあり、門は別だが、裏で接していた。

一方は、武家。

一方は、町人。

両頭の蛇のようなふしぎな同族である。竜馬のものの考え方のなかに武市半平太などとはちがい、自由闊達な町人の感覚が入っているのはこういうめずらしい生いたちにつながりがあるとおもわれる。

さて、下の才谷屋のことだ。

これは同族ではない。数年前に、上の才谷屋の番頭がのれんわけをしてもらって出来た家系で、やはり城下きっての富商である。町人ながら竜馬の坂本家に対し、いわば主筋の礼をとっている。

この下の才谷屋はふしぎなことに、代々、美人の娘がうまれる。

当代は、娘ばかりの四人の子持ちで、どれもこれも花のように美しい。

「下の才谷屋のお花畑」

と城下の人にいわれた。

長女に養子をとり、中二人もすでにかたづいて、末娘だけがのこっている。

お美以(みい)という。

十七歳。

お美以が小さいころ、竜馬は、ひどく可愛がっていて、城下の梅見、花見などには、抱いて連れて行ってやったりしたものだ。

そのお美以は、兄権平の独り(ひと)娘の春猪(はるい)とおないどしで、姉妹のように仲がいい。

性質はまるでちがうようだ。

竜馬のめいの春猪は、活溌な娘で、いつも屋敷うちをころげまわるように笑い暮らしている。陽気なのは坂本家の血すじなのだろう。

お美以はおとなしい。その上、出不精だから、下の才谷屋におしかけてゆくのは、いつも春猪のほうだ。

ある日、その春猪がもどってきて、

「竜馬おじさま」

と、竜馬の顔を見るなり、もう笑いころげてしまった。

「なんだ」

春猪は、片目をつぶってみせた。なにか重大なニュースがあるらしい。

「竜馬おじさま、あすはおひま？」

と、春猪はくすぐったそうに笑った。

春猪の頰には、ちょっとあばたがある。かわいそうにこれさえなければ、この娘もけっこう美人で通る顔なのだ。色が白くて、顔がまるい。

竜馬は、

――河豚（ふぐ）、河豚。

とよんで、このめいを可愛がっていた。

余談ながら、後年、竜馬が長崎で活躍していたころ、フランス製の香水や白粉（おしろい）を買っては、この春猪にせっせと送ってやった。

そのころの春猪への手紙がのこっている。

このごろ、外国の「おしろひ」と申すもの御座候（ござそうろう）。近々（ちかぢか）のうち差しあげ申し候間（あいだ）、したたか、御ぬり被成度（なされたく）存じ候。御まちなさるべく候。かしく。

菊目石（あばた）の春猪殿

あてなは、「菊目石の春猪殿」と書いたり「河豚の春猪殿」と書いたりしている。

そのかわいい春猪が、

——おひま？

などというのだ。

「おお、ひまじゃ」

と竜馬は応じてやった。ひまどころか、このところ、土佐勤王党の結成以来、毎夜おそくまで武市屋敷に詰めていて、安芸郡、香我美郡、長岡郡、土佐郡、吾川郡、高岡郡、幡多郡、といった各郡から、毎日のように先祖伝来の剝げ鞘の大小をさして訪ねてくる若い郷士たちの応接にいとまがなかった。

「ほんとうに、死ぬほどおひま？」

「ふむ。死ぬほど」

「それならよかった」

利口な春猪は、竜馬叔父が、ひまどころか、新町田淵町の武市先生と、なにやら重大なことに熱中していることを知っている。知ったうえでのことだ。

「ひまなら、春猪はおねがいがあります」

「なんだ」

「あす、五台山にお月見につれて行ってください」

「ああ、もうそんな季節か」

このところ多忙で気づかなかったが、後の月（旧暦九月の明月）は、夜々、成長している。あすの十四日は待宵月、あさってが十五夜。しかし春猪はなぜ十四夜の月をみたがるのだろう。

「人がすくないから」

と、澄ましていった。

「人がすくないと、いいことがあるのかえ」

「うん」

なにか、春猪には計略がありそうだ。

「わかった。あすは源おんちゃんを供にして昼すぎから五台山下の桃ノ木茶屋に行っちょれ。わしはあとからゆく」

「あとから」

「ふむ。日中は、ちょっと用がある」

さりげなくいったが、用というのは、重大なことだ。竜馬はふたたび旅に出ようとしている。あす、藩庁へ届け出ようとしている旅行の表むきの理由は、「剣術詮議（研究）のため讃州丸亀表へ」というものだったが、じつは土佐一藩だけでなく諸藩の士に勤王蹶起を遊説してまわろうとしている。

翌十四日。

竜馬は、坂本家の御預(おあずかり)家老福岡家へ参上して、願い書をだし、陽が傾くころ、五台山山麓の桃ノ木茶屋へ行った。

着いたときには、すでにあたりは薄暗い。が、春猪がねだった待宵月は、のぼるまでまだ半刻(はんとき)はありそうである。玄関へ出迎えた古なじみの亭主の茂兵衛に、

「うちの春猪は来ちょるか」というと、

「へい。さいぜんからお待ちかねでございまする」

亭主はいってから、ちょっと腰をのばし、

「しかしあれでございまするな。手前どもはおうわさできくだけで拝顔したこともございませなんだが、おうわさ以上に美しいお方でございますな」

(春猪が、か？)

亭主のお世辞に竜馬もあきれた。めいっ娘(こ)の春猪はなるほど愛くるしくはあるが、亭主のいうほどうわさに鳴りひびいた美人でもあるまい。

「汝(ぬし)ァ、口が旨(うま)い」

「めっそうもない。手前どもの女房(なな)や、婢女(こじょ)どもも、眼がつぶれそうじゃと申しております」

「春猪を見て、ホウかい。知らなんだなあ。一ッ屋敷うちにいるからおれは気づかなん

だが、春猪は美しいちゅううわさは、それほど城下で持ちきりかえ？」

「いやいや」

亭主の茂兵衛はこまったような顔つきで、

「持ちきりは、そのお連れ様でございます」

「連れ？」

春猪は、連れと来ているのか。

「連れとは、たれのことだ」

「下の才谷屋さまの末嬢のお美以さまでございます」

「お美以も来ているのか」

竜馬は、笑いだした。

「あれは美しかろう。しかし、わしはここ五年がとこ、見ちょらんが、それほど美しゅうなったか」

「なられましたとも」

「しかし、亭主。汝ァ、うちの春猪に恥をかかせたな。いまのはなし、春猪に聞かせればあいつのことだ、じだんだふんで憤慨しよるじゃろ」

「そんな」

亭主も怒った。

「坂本さまの早合点で、はなしがこうなったのではございませぬか。春猪さまも、あれはあれでお美しゅうございます」

「あれはあれでとは、可哀そうだ」

竜馬は式台をあがって、どんどん廊下をあるいた。婢女が手燭をもって追っかけてきた。

（お美以め、そんなに評判の娘になってくれたか）

竜馬は、うれしくなった。お美以を抱っこして、五台山の梅見などをしたのは、ほんのこの間のように思える。

竜馬は、からっと唐紙をあけた。

部屋は、東に面している。惜しくも吸江の海景はみえないが、ほどなく山の端の松からのぼる月は一幅の絵のようにみえるだろう。

部屋に、香を炷くにおいがした。

春猪は、胸中、竜馬叔父には明かせぬ計略があった。というより、計略は九分どおりまで成功している。

げんに、彼女は、ともかくも竜馬叔父をこの五台山山麓の桃ノ木茶屋までおびきよせたではないか。

遠い玄関のあたりから、竜馬の声が廊下を抜け渡ってきこえてきたとき、春猪は、

——吻っ。

という大げさな身ぶりを、お美以にしてみせた。

「来たわ、とうとう」

お美以はとまどったような表情でちょっと春猪を見上げ、すぐうつむいた。こまるのだ。

「うれしいでしょう?」

春猪は、この芝居をたのしんでいた。

「お美以さん、だまっていてはだめよ。なにか、ちゃんとおしゃべりしなくては」

「ええ」

うなずいたが、消え入ってしまいそうだ。

お美以は、十のとき、竜馬に連れられて梅見に行ったときのことをありありとおぼえている。あのころ、竜馬は江戸での第一期の剣術修業を終えて、いったん帰国していた時分であったろう。お美以の手をひいてくれたり、くぼ地をとびこえるときは、抱きあげてくれたりした。

なにしろ、十一も年上である。当時十歳だったお美以からすれば、立派な大人だった。が、おんなの子というものは、十でも油断のならぬものらしい。お美以はわれながら自分に驚いた。あのとき、はっきりと、竜馬を、

(好きだ)

と、おもった。その想いは、大人のそれと、かわらない。ただ、子供だけに、娘のい

まとちがって、行動力があった。あの日、家に帰ってから母親のおこうに、

「わたくし、竜馬おじさんのお嫁様になります」

といって、あわてさせた。

母親のおこうは、娘が十だといっても、女の子にはこういうことはいい加減にごまかせないと思い、

「いけません」

といった。

「坂本様は、お武家さまだし、それに、わが家（下の才谷屋）にとっては主筋にあたりますから、お嫁には貰っていただけません。お美以は、商人の所に嫁くのです」

それが子供心にもお美以には悲しくて、その夜、寝入ったあとでも夢のなかで泣いていた。

以来、竜馬には逢っていない。

しかし、ほとんど十日に一度は遊びに来る春猪からは、竜馬の消息を手にとるようにきいている。

先日のことだ。

春猪は、竜馬叔父の失策話やおかしな癖を身ぶり手ぶりでおもしろく話していたが、急にめずらしく真顔になった。

「どうしたの」

とお美以はきいた。

「あなた、竜馬叔父さんが好きじゃないの」

と、春猪は突き刺すようにいった。このためにお美以の想いが、露（あら）われてしまった。

部屋に入ってきた竜馬は、

「ほい」

といった。

「お美以かえ？」

あとはなにもいわず、声をたてて笑いだした。

春猪は憤った。

「竜叔父さま、お美以さんに御無礼ではありませんか」

「なぜだろう」

「何年ぶりかで会ったのに、ごあいさつもなく笑いだすなんて」

「それもそうか」

竜馬も後悔したらしい。が、こんどは、ふしぎな動物でもみるようにまじまじとお美以をみつめて、

「やはり、お美以、お前（まん）は人間だなあ」

と、感心した。

「自然の妙というものだ。むかしの子供が、ちゃんとここで大人になっちょる」

「あたり前」

春猪は、くやしそうに畳をたたいた。

「ではありませんか。おとなになったことが、なぜおかしいのです」

「そうだ。べつにおかしくはない。しかし」

「しかし？」

「竜馬がぼやぼやしちょっても、天は休まずに運行しちょるなあ。それが、お美以の体でわかった」

「厭やだ」

春猪はサジをなげた。この叔父はだめだと思った。せっかくいきな演出をしてやったのに、二枚目役をみごとにしくじっているではないか。

やがて馳走がはこばれてきた。

（もうやめた。あたしは食べることにかかります）

春猪は、肚をきめた。

「お美以、飲め」

「はい」

竜馬が注いでやった。おとなしく見えても、お美以はさすがに土佐の娘である。大きな木杯になみなみと竜馬の酒を受け、けろりと飲みほした。

「りっぱじゃ」

ふっ、とお美以ははじめて笑った。

そのうち、座敷が明るくなった。月が、昇ったらしい。その淡い光のなかで、お美以の容貌が、夢のように美しい。

「お前、美しいな」

やっと気づいた、というふりをした。

月がいよいよ照り盛ってきたとき、竜馬もしたたかに酔ってきた。

「春猪、お美以、そこへならべ」

「え？」

「わしは月光をたんと浴びたいんじゃ」

「こうですか」

二人の娘は、ひざをそろえてならんだ。

「もっと、ぴたりとならべ」

「こう？」

「そうじゃ。お前ら子供のときは、どっちもわしが子守りをしてやった。いまは大きくなったゆえ、わしのために、チクと膝を貸せ」

竜馬は、ごろりと二つの膝の谷間を枕にした。やがて、いびきをたてて寝入ってしまった。

「お美以さん」

春猪は膝の上の竜馬の顔をのぞきこんで、

「どういう気かしら」

「ええ。……」

お美以も、こまっている。

こまるのは、その温度だ。竜馬の肩のあたりがひどく温かくて、それに応ずるように
お美以の体じゅうの血が、膝のその部分に集まっているような気がする。

「ねえ、お美以さん」

「は？」

「男の人の肌って、あついな」

春猪が無邪気にいった。

お美以は、そうですね、と小さく返事しただけである。

じっと膝で、竜馬の重みに堪えている。

月が、高くのぼった。

やっと、竜馬は眼をさまし、

「いま、なんどきじゃ」

と、お美以の白いあごを見あげた。

「あの。……」

お美以はどぎまぎした。

「もうすぐ、戌（夜八時）でございましょう」

「それは、いかん」

竜馬は、はね起きて刀をひろいあげた。

二人の娘が、あ、という間もない。竜馬は部屋を出てしまっていた。

（酔いがさめると、急に照れてしまったらしい）

春猪だけが、この年若い叔父の気持がわかっておかしかった。

しかしお美以は別な心境でいるだろう。

竜馬は玄関へ出た。

源おんちゃんが、とびだしてきた。

「小嬢さんらは？」

「いま来る。おんちゃん、あいつらを駕籠で送ってやってくれんか」

「それはむごうございますな」

源おんちゃんは、お節介者である。

「坊さまもなぜ送ってやんなさらぬ」

竜馬は、めずらしくこわい顔でにらみつけた。

「春猪に、人間の娘をおもちゃにするなといっておけ」

「おもちゃに？」

「それだけでいい。おれは急用を思いだしたのだ。これから山道を駈けおりねば約束の刻限におくれる」

じつは、武市屋敷で、人が待っている。那須信吾という、高岡郡檮原（ゆすはら）の郷士である。人煙（じんえん）まれな大山奥から、用があれば高知城下まで一昼夜ぶっとおしで駈けおりてくるという鬼のような壮漢だ。なにか、竜馬に話があるらしい。会合の時間を、深夜にしているところからみると、容易ならぬはなしがあってのことではあるまいか。

「ではぼんさま、お提灯を持ってゆきなされ」

「いらん」

月夜だ。これほど足もとが明るければ、竜馬の近視でもなんとか歩ける。

山道を駈けおりた。狐が二、三びき、足もとから逃げた。

城下まで、西へ一里余。

山道がおわると、草履がべとべとぬれた。湿地である。

薄野（すすきの）がはじまる。

竜馬は、泳ぐように薄をわけた。

そのとき不意に、眼の前の薄の原が、わっと二つに割れた。

竜馬は、反射的に自分でころがった。

三本の白刃がそのあとを追った。きつねか、悪戯（いたずら）をしやがる、と、ころがりながら、竜馬は考えている。

薄のなかをころがっているうちに、湿地に入りこんでしまった。右肩から顔にかけて、べたりと泥がついた。

竜馬はやっと立ちあがって、

「まさかお前ら、狐ではあるまいな」

「ちがう」

影の一人がいった。

「されば人違いするな。おれは、本町筋一丁目の坂本竜馬だ」

「わかっちょる」

言葉が、郷士なまりではなく、上士のなまりである。

影は、三つ。

相手が上士とすれば、永福寺門前事件の仕返しであるのか。

それとも、背後の大きなものかもしれなかった。上士の連中は一様に保守的なのだ。

郷士たちの土佐勤王党結成に強烈な反感をいだいていることを竜馬は知っている。血気の上士のなかには、

（坂本、武市を斬ってやる）

と豪語している者もいるそうだ。

（そういう連中か）

湿地を背に、竜馬は面倒くさげに刀をぬいた。

「竜馬、覚えがあろう。汝ァ、おれの稚児を奪った」

「とんとかえ？」

これには竜馬もおどろいた。

稚児とは衆道（男色）の愛人のことだ。土佐では、とんとという。土佐、薩摩などという南国の武士は、なおこうした戦国の悪風を残していて、若侍のあいだでは衆道が日常茶飯のことになっている。稚児をとられて刃物沙汰になることが多い。

土佐の若侍の唄にある。

　おらが稚児に触れなば触れよ
　　腰の朱鞘はだてには差さぬ

まったくこまった蛮風だが、この悪習はほんの二、三十年前まで土佐に残っていて、この唄などは、高知の海南学校（旧制中学）では校歌のようにして唄われていたそうだ。しかし、竜馬には、衆道の悪趣味など、毛ほどもない。竜馬が男色家でないことは、城下の若侍ならたれでも知っている。それを知っていて、衆道の恨みとはどういうことか。

（なにかわけがある）

竜馬は、構えを下段になおして、

「その稚児とは、たれのことじゃ」

「弁之助よ」

弁之助は五台山竹林寺の寺小姓である。女にもまれな孌童で、一山の僧はおろか、城下の若侍からさわがれていた。じつをいうとこの弁之助は、竜馬の坂本家の知行地の百姓の子で、五台山竹林寺に入れてやったのは、竜馬の兄の権平なのである。その縁で、弁之助は城下に出てくるたびに、坂本家に立ち寄るのだ。

「あんなもの、おれは好いちょらんぞ」

竜馬は、笑いだした。

が、油断はしない。どうせ相手は、そういう口実をかまえて、別の理由で竜馬を闇討にかけようとしているのだ。

(そういえば、夕刻、ここへ来るときに、城下の帯屋町で下横目どもに出会った。下横目岩崎弥太郎もいた。あの連中が、馬鹿上士どもに密告したのだろう)

一人が、竜馬の左にまわった。

月が、雲間から吐きだされた。

風が出ている。

薄の穂の群れが、銀粉を噴きだすようにそよいだ。

「…………?」

竜馬は相手をのぞきこもうとしたが、近視のせいで、顔まではわからない。

そのうち、一人が左手にまわった。その男が大剣をじりじりと上段にあげつつ、腰を三尺、推進させた。構えからみて老公容堂とおなじ無外流らしい（上士の剣術の多くは、この流儀である）。

うっ、と撃ちこんできた。

「――」

竜馬はすっとさがった。同時に相手の刀身をたたいた。ぱっ、と火花が散った。そのまま翻せば十分に斬りおとせたのだが、竜馬は、剣をひいた。

「よさんか」

腕が、天と地ほどちがう。弱いのを斬ったところで、はじまらぬとおもったのだろう。竜馬の左足が濡れている。背後はもう湿地である。水深二、三寸の水たまりが、数町歩にわたってつづいている。沼といっていい。

十四夜月が、その沼に影を落していた。竜馬は水面の月を割って、数歩沼の中に後退した。

「お前（まん）らァ、そんなに郷士が憎いか」

相手は、沼を前にして踏みこめない。

「男ならいちいち名を名乗るがいい。それとも、お前ら名無しかえ」

竜馬はさそいをかけている。

「……」

「名無しなら、当方も遠慮はせん。のこらず斬りすてるぞ」

腹が立ったのだろう、一人が、ざぶっと沼へ入った。同時に竜馬の足が三歩水の上をたたいて、踏みこんだ。

相手の剣が頭上にきた。

それよりも早く竜馬の剣が、相手の右コブシを丁と撃って、すっと退いた。

「わっ」と、相手は刀を落した。親指が斬り落されている。親指切りは北辰一刀流の秘伝のひとつで、千葉周作が若いころ、実地に真剣勝負をして工夫したものだ。

真剣には、面、胴、籠手といった深業をするよりも、指切りがもっとも実際的だということを竜馬も知っている。指を切り落してさらに踏みこめば、あとは据え物を斬るように容易である。が、竜馬は踏みこまなかった。

刀を下段にもどし、

「勝負はみえた」

竜馬はいって、ツツと身をひき、

「これ以上は無駄だろう」

くるりと背をかえして沼のなかを歩きはじめた。

「卑怯」

一人がざぶざぶと追ってきた。

「追うな追うな。わしら土佐郷士はお前ら代々高禄に飽いた連中よりも、もうすこし大きなことを考えちょる。坂本竜馬、渺平たる身ながら、こんな所で、馬鹿を相手に斬られたくもないし、斬りたくもない」

竜馬の影は、月下で次第に小さくなった。

上士は、茫然としている。

「負けた。——」

影の一人がいった。眼はするどいが、貴公子然とした顔の男である。名を乾退助といった。のちの板垣退助である。

竜馬は、その足で新町田淵町の武市半平太の屋敷の門をたたいた。

すぐ開門された。

竜馬は、庭から書斎にまわった。明り障子に灯が映えている。この夜ふけに、高知城下でなお灯がともっているのは、武市の書斎ぐらいのものであったろう。

「竜馬だ」

障子の影が動いた。

竜馬は、部屋に入った。そこに、軀幹長大な武市半平太がすわっている。

その前に、眼のぎょろりとした、頬の真赤な壮漢が、うずくまっていた。

檮原の郷士那須信吾である。竜馬より五つ六つ年配で、武者絵からぬけだしてきたような、みるからに豪傑といった感じの男である。

剣は竜馬の最初の師匠である日根野弁治にまなび、槍は岩崎甚左衛門に学んで並以上に達したが、なによりも生まれついた膂力がつよい。

甥にあたる田中光顕伯の回想録によれば、

> 那須信吾は私の祖父浜田宅左衛門の第三子で、文政十二年己丑十一月十一日に生れ、幼名を虎吉と言うて居つた。六歳にして父をうしなひ、私の父金治に教育され、長ずるや、家塾の習字教授を助くるに淳々として倦まず。

その異常人であった点は、脚力である。馬より早いといわれた。檮原の山奥から高知城下まで来るのは、普通の足で二日がかりの嶮路であったが、信吾は、毎日、大剣を帯び、弁当を腰にさげ、肩に槍をかつぎ、それに面籠手をぶらさげて、飛ぶように駈けたという。

> 身長六尺、見るからにして偉丈夫といふ言葉があたつて居る。膂力衆にすぐれて強く、また健脚であつた。十匁の火縄銃に強薬をこめ、立ちながらこれを発射して命中させるばかりか、姿勢もくづさなかつた。

と、田中光顕は「維新夜話」で、回想している。

信吾は、はじめ医術を学ばせられた。ところが、定法どおり医術書生として頭をまるめさせられたが、いっこうにそのほうの勉強に精を出さず、武術ばかりをやっている。郷人がそれをあやしみ、悪口をいうと、

「わしは国家を医する、一包み三分の薬礼などもらう男ではない」

と豪語していた。当時、医家の謝礼は、薬一包みが銀三分と相場がきまっていた。

そのうち、檮原の郷士で槍術家だった那須俊平に見こまれて、その養子になった。妻は為代である。

子がつづいて二人できた。

信吾はこれで養子としての役は果たしたと思ったのであろう。その後、養父に打ちあけずに脱藩し、諸国の志士の間を奔走して、ついに、後に、天誅組の首謀の一人になり、大和で戦死している。

養父俊平はおどろき、

残しおく二人の孫を力にて
　老いぬることも忘れぬるかな

と田舎くさい歌をよんでみずからをなぐさめていたが、後、これも脱藩し、元治元年七月蛤御門の戦いで、越前藩士堤五一郎と槍をまじえて戦死している。

ただし、右は後の話。

「竜馬よ、一大事を語らねばならぬ」

と、武市半平太がいった。この剛毅な男が、顔を真蒼にしている。

膝をのりだした那須信吾の顔も、さきほどの血色はすでになくなっていた。よほど重大な事柄なのだろう。

「いまから申すこと、構えて他言すな」

「ちょっと」

竜馬は立ちあがった。

「どこへ行く」

「井戸へ」

「なにしにゆく」

「のどがかわいちょる」

竜馬は、出て行ってしまった。ああいう沈痛な雰囲気とか、悲痛な顔つきというのが、元来、竜馬にはにが手なのである。性格だから仕方がない。

（なんの話かは知らんが、もっと、明るくやれんものかい）

悲壮ぶるのは武市のわるい癖だし、土佐郷士のわるいくせだとも思っていた。竜馬が座を立ったのは、かれらの気組を、ちょっと挫いてみただけである。剣術の手でもある。出鼻をくじかれてしまえば、あとは、平静に物事を見、物事を語れるだろう。

が、書斎に残った二人は、竜馬の予測とは別の気持になっていた。

「竜馬め」

不真面目（ふまじめ）だ、と那須は吐きすてるようにいった。せっかくの気合の腰を折られたような気がしてその点でも不愉快だし、男が大事を打ちあけようと膝をのりだした瞬間、待った、のどがかわく、とはどういう料簡であろう。

「まあおこるな。あいつはああいう男だ」

武市は、竜馬が不真面目だとはおもっていないが、竜馬のようなふわふわと雲をつかむような男に、この種の相談を持ちかけたのが誤りではなかったかと、別の意味で後悔しはじめていた。

（この相談は、竜馬にふさわしくない）

しかし、呼んでしまったことだ。打ちあけるしか仕方がなかろう。

水を飲んで竜馬がもどってくると、武市、那須の二人が、さきほどとはすこし種類のちがった固い表情ですわっている。

（なんじゃ、はずし甲斐がなかったか）

もそもそと部屋のすみにすわった。

その竜馬をおどろかせたのは、那須信吾の第一声である。

「竜馬、わしは同志を代表して、参政（仕置家老の新称）吉田東洋を斬る」

といった。

「竜馬、まかせてくれるの。まさか異存はあるまいの。わしは斬る。すでになかまをえらんである。安岡嘉助、大石団蔵。——」

みな、戦国土佐の一領具足を思わせるような暴悍敢死の徒輩だ。

「半平太、お前、それをゆるすのか」

「許さん。しかし、黙している」

「同じことだ。感心せん」

「斬ることが、か」

「斬ることも、それを黙認しちょるお前の態度も、なにもかもじゃ。この一件、わしが剣術詮議の旅から戻ってくるまでのあいだ、我慢ならんかい」

「我慢ならん。竜馬、お前の態度も、我慢ならん」

那須信吾は、野太い声でいった。竜馬は、措け、といったふうのこわい顔をした。

参政吉田東洋を斬る、という着想に、那須信吾は熱中しているようである。

「斬る」

という語調に、狂気がこもっている。親幕派の総帥を斃す以外に、土佐を勤王藩の方向へ転換させる方法はない、と那須信吾は思っているのだろう。

人を斬るというのは異常なことだ。

斬る、と思いたっただけでも、もはや当人の精神は正常でなくなる。熱狂者のそれに似てくる。どういう言説も受け入れられない。この場合の那須信吾がそうだ。

「御両所」

と、血走った眼で武市と竜馬をかわるがわる見て、

「お前らが、なんと言い晦まそうとも、わしの志はかわらんぞ。土佐檮原の郷士那須信

吾は、身は貧しく、才は無く、人の数に入らぬ身ながら、一片の氷心がある。暮夜、国を想えば耿々として夜が白むまでねむれぬことが多い。元吉（参政吉田東洋）が藩政の首座にすわっているかぎり、土佐藩はどうにもならぬ」

土佐藩をどうするか。

武市ら勤王党の連中の目的は、この二十四万石をあげて、朝廷に献上することである。つまり、京都を中心として尊王攘夷の義軍を挙げることだ。

——馬鹿な。

と、当然、吉田東洋ならずとも、藩の責任者ならばたれしもがそう思う。

土佐山内家というのは、二十四万石の諸侯の地位を朝廷からもらったものではない。藩祖山内一豊が、関ケ原の功により、徳川家康からもらったものである。

薩長とはちがう。

薩摩の島津家は鎌倉時代からの地頭だし、長州の毛利家は、戦国初期、英雄元就が出て四隣を斬り従えてできた家だ。両家とも、一寸の土地も、徳川家からもらっていない。この両藩が、幕府に対して不人情なのは、当然である。

が、おなじ外様大名ではあっても、土佐山内家が、関ケ原の論功行賞により、掛川六万石から一躍土佐二十四万石に封ぜられたのは、吉田東洋によれば、

「いつに、将軍家のおかげである」

という。

「恩義を忘れて人道はない。薩長とは、事情がちがう。かれらと一緒になって軽挙妄動することはできぬ」

吉田は、たれに対しても、吐きすてるようにいう。

ほとんど芸術的といっていいほど、頑固な男である。

「男にも美しさがある。みずからの考えに対して、死を賭しても頑固だということだ」

と自分をそう教育している人物である。

「元吉、すこしく才あり」

と、めったに人をほめぬ水戸の藤田東湖がいったほどだから、よほど学才があったはずである。

(斬るには惜しすぎる)

武市半平太の悩みも、そこにあった。

頑固家老

戸籍から、いう。

名は元吉。

号は東洋。

文化十三年のうまれだから、竜馬より十九歳の年上である。

いわゆる「お歴々」とよばれる上士の家柄の出だが、家老の家ではない。抜擢されて参政になった人物である。いまも生家である帯屋町の屋敷にすんでいる。

この吉田東洋の頑固は、因循姑息な頑固ではなく、きわめて攻撃的な頑固であった。

十八歳、すでに芽ばえがある。

家僕を殺している。

なぜ家僕を斬ったのか、東洋はついに理由を明らかにしなかったから城下の人でも詳しくは知らないが、察するところ、この家僕、軽薄で年少の東洋を軽侮するところがあったか何かであろう。

むろん、罪にはならない。

主人が自分の家来を無礼討することは、この時代のいわば刑法で認められていたからである。

が、この事件は東洋の一生を決定したらしく、以後、門を閉じてつつしみ、学問、武芸に熱中した。後悔したらしい。もっとも、剛愎な男だから、文学青年のようには悩まず、この家僕殺害の年に結婚している。妻は、同格の上士後藤正澄の三女琴子。

一女一男を生んだ。

（余談だが、娘の政子は維新後公卿伯爵の大原重徳の嗣子重賢という人物に嫁ぎ、男子の源太郎正春は、維新後外務省、逓信省の書記官をつとめて英才をうたわれた。ただ父親ゆずりの傲岸不羈の性格がわざわいして人の下風に立つのをよろこばず、のち辞官し、さまざまの事業に手を出したが、大正十年、不遇のうちに東京青山の自邸で七十歳の生涯をとじた。伊藤博文などは、土佐系の人物で内閣に入れるべきはまず吉田正春、とつねに左右の者にいっていたほどである。しかしついに大臣になっていない。才のあまり、性格がとげとげしすぎたせいである）。

さて話は東洋。

二十八歳で郡奉行になったが、東洋はただの役人ではない。このときすでに藩政改革の建議をしている。その建議の内容をみると、経済、人事、教育のいろんな面で非凡のひらめきがみられる。

このころ、学問ではすでに藩の儒官が東洋に歯が立たず、剣では家中で一流とされ、議論をすれば、東洋の舌に勝つ者がいなかったといわれる。しかもただの才子ではない。

三十二歳、船奉行となった。

土佐は海国だから、戦時用の藩船を多くもっているが、久しい泰平で帆はやぶれ、帆綱は切れ、船頭、水夫は、扶持どりの世襲の者だから、まったく技術をみがいていない。東洋は船や海のことは何もしらなかったが、これに猛烈な再訓練をほどこし、数年で船も船員も使いものになるまでに仕上げている。おそるべき実行力といっていい。ほどなく役目を辞し、藩主から諸国遊歴の許可をうけて、天下知名の学者とまじわり、見聞をひろめた。

三十八歳、参政に抜擢。

藩主豊信（容堂）は、家臣東洋に対し、東洋先生とよんだほどだから、よほどの君寵をうけたことになる。

吉田東洋は、参政に抜擢されてほどなく、藩主の参覲交代の供をして江戸にゆき、江戸一流の名士と交際した。これが安政元年だから、竜馬の最初の江戸修業時代である。が、東洋は、二十四万石の宰相である。一介の剣術諸生の竜馬にとっては雲の上のような身分だから、たった一度、鍛冶橋の藩邸で、廊下を渡ってゆく東洋の姿を見たきりであった。

そのときは、ちょうどペリーの来航さわぎで、江戸中があすにも戦さかと緊張しきっているときだったから、

（ほう、あれが土佐の侍大将か）

とたのもしくおもったことを覚えている。

頼もしく思わせるような風丰を吉田東洋はもっていた。

巨岩を思わせるような、彫り深い道具だての大きな顔に、両眼がらんと光り、唇もとは容易にほころばず、それが太い猪首と、広い肩にささえられ、ずしりと腰がすわっている。しかもたいへんなしゃれ者で絹地以外は用いず、緋縮緬のそでのついた長襦袢を着、懐ろに麝香を入れ、大小も立派なこしらえのものしか用いない。

そのころ、藩邸をひっくりかえすような大事件を、東洋は演じている。

安政元年六月十日のことだ。

この日は、藩主在府中の恒例で、山内家の血縁のある旗本三氏をよび、藩主みずからが酒を馳走することになっている。

御血族の旗本とは、山内遠江守豊督、五味靫負豊済、それに、旗本寄合席松下嘉兵衛重光の三人である。

松下嘉兵衛とは、同姓同名の武士が、太閤記などに出てくる。秀吉が年少のころ仕えた駿河の今川家の武将の名である。秀吉が天下をとってから探しだして高禄をあたえた

が、豊臣家崩壊後は幕臣となり、土佐藩主と代々縁組などをしている。

当主の嘉兵衛は、下手な狂歌や俳諧などを作ってやたらに通ぶっている風流才子で、酒癖がわるく、酔えば人にからみ、座が白けるまで愚弄する癖がある。

この夜、東洋は、藩公からおなじ重役の渋谷伝とともに「御酒お相手おおせつけ」られ、山内家御親族一統のなかで陪席させられた。

ところが、松下嘉兵衛である。

宴が果てるころには正体もなく泥酔し、例の悪癖が出た。

「渋谷。――」

と、東洋の相役をよびすて、さんざんにからんだあげく、扇子で頭をたたいた。渋谷は相手が藩公の親戚だから、ただおそれ入ってたたかれていた。

嘉兵衛はつぎに東洋のそばにきて、肩にだきつき、頭をなでまわし、

「なんの役にも立たぬ雁首よ」

といった。

はっ、と一座が青ざめたときは、東洋は嘉兵衛を投げとばしていた。だけではない。嘉兵衛の体に馬乗りになって、力まかせになぐりつけた。

嘉兵衛は泣き声をあげて詫びるが、東洋はなおなぐりやめない。ついに藩公みずからが座からおりて、のしかかっている東洋を引き離すというさわぎになった。

殴打事件のころ、家中で、

　吉田元吉（東洋）
　　頭もこくが
　　透矢越後で伊達もこく

という唄がはやった。

こく、というのは、土佐言葉でなぐるという意味である。透矢越後とは当時大そう伊達な着物とされたもので、要するにこの唄の意味は、

――吉田は、まかりまちがえば藩公の親戚の頭もなぐるほどの豪儀なおとこだが、なかなかの伊達者でもある。

ということだ。

事件後、吉田東洋の処置については切腹説も出たが、結局、役目を剝ぎとった上、国もとへ差し下され、高知城下四カ村禁足、減知、という手ひどい罰をうけた。

東洋が罪を得て江戸藩邸を孤影さびしく去ったのは安政元年六月十四日。

夜来の雨で、道がひどくぬかるんでいた、と、江戸定府の藩士寺田志斎の日記にある。

志斎の日記には、この日の東洋についての感想をこうしたためている。

「吉田氏、もとより才能あり。しかのみならず学力あり。されど驕慢独智にて人の言葉を容れず、事を断ずるに苛酷多し。予、今日の事あるをあらかじめ知る。はたしてしかり」

竜馬は、この当時、二十歳の若さだから、むしろ吉田東洋の剛気さに好意をもった。主人の親戚の大旗本の頭をなぐるなど、懦弱（だじやく）な当世武士のなかでは珍とするに足るではないか。

蟄居（ちっきょ）四年。

城外朝倉村に住み、のち浦戸の海景のうつくしい長浜村に移り、ここで読書と詩作にふける一方、名を慕って訪ねてくる上士の子弟を教育し、のちふたたび参政に返り咲いたときは、この長浜村時代の弟子を一せいに顕職につけ、強固な学閥をつくって、他の系統の者をするどく排除した。性格といい、やり方といい、余談だが、百年後の土佐出身の宰相だった吉田茂に似ている。

これも長浜村時代の余談だが、城下の上士の子弟のなかで、手のつけられぬ腕白者が二人いた。

ホヤタとイノスケという若者で、それぞれ城下中島町で隣り同士の仲である。むろん餓鬼友達（がきともだち）で、この二人が幼少のころから泥まみれになって遊びまわり、共同の喧嘩相手がないときには互いに血みどろの喧嘩をしたりして、家中、近所から疫病神のように嫌われていた。

ホヤタのほうは東洋と血縁だから、ある日、東洋はその母親に泣きこまれて訓戒を垂れるべく、

「一度、二人を連れてきなさい」

といった。

二人の腕白が、眼を光らせてやってきた。

東洋はことさらに二人に議論を吹きかけると、二人の疫病神はコブシをたたいて応じてくる。ついに激論して深夜におよび、東洋も腹がたって、

「帰れっ」

と追っぱらったが、あとで「あの二人は見込みがある」とあらためて使いをやり、いやがる二人をねじ伏せるようにして弟子にしてしまった。

復職後、この二人も顕職につけている。

この保弥太(ほやた)がのちの後藤象二郎、猪之助(いのすけ)が板垣退助である。東洋は東洋なりに、必死に人物の発掘につとめたのだ。

が、竜馬ら郷士には一顧も呉れない。貴族意識の強烈な人物だったのである。

吉田東洋が参政の地位に復活したのは、安政五年、四十三歳のときである。

その後、かれはおそるべき行動力で、つぎつぎと斬新(ざんしん)な政策を布(し)いた。いわば、富国強兵策をとった。

だけではない。

同時に書斎にあっては、どんらんな知識欲を満足させた。西洋知識を得ようとしたが、横文字が読めないためにシナで新刊されているシナ語訳の洋書を長崎からとりよせ、ま

た、上海（シャンハイ）で当時発行されていた中外新報までとりよせて、それらの活字から西洋事情を知ろうとした。理化学のことまで調べたという。

儒学的教養をもちながら、思想は徹底的な開国論の立場をとった。この点、幕府の外交方針とおなじで、武市半平太ら勤王党の攘夷論者からいえば、「神州を汚す者」であり、醜夷（しゅうい）に屈しようとする腰抜け武士であり、幕府に加担する反朝廷派であり、先年、桜田門外で尊王攘夷論者に斃された大老井伊直弼と同質同型の人物であった。

「土佐の井伊じゃ」

と、はげしくこれをきらったのは、東洋を斬る、という那須信吾である。むろん、党首株の武市半平太も、これと同意見である。

文久元年、東洋四十六歳。

この年、武市は江戸で、薩長の過激志士とひそかに密会し、たがいに自藩にもどって藩論を勤王に統一し、三藩の兵をもって京都で義軍をあげるという壮大な密謀をとげ、土佐に帰国している。帰国後、土佐勤王党を結成し、その圧力を背景に、しきりと参政吉田東洋に説きはじめた。

武市は、毎日のように藩庁に出かけては、東洋に面会を申し入れている。

郷士仲間では、武市だけが、登庁して参政に会うことのできる身分なのだ。武市家は郷士でも、上士待遇の「白札」の身分である、ということは前に書いた。

吉田も、かねて武市の学識の深さだけはみとめている。

「瑞山先生」

などと、なかば敬意、なかば親しみをこめて呼んでいた。

ところが、武市の薩長土三藩同盟論には、がんとして反対なのである。

「武市君、薩長は薩長、土佐は土佐じゃ」

と、吉田はあくまでも親幕的態度をすてず、京の朝廷に対しても、武市とはまったく思想を異にしていた。

「あっははは、天皇や公卿などに国がまもれるか」

というのだ。

「瑞山先生は、歴史を知らん。日本史で、天皇や公卿が騒ぐときは、かならず世の乱れるときだ。保元平治ノ乱、南北朝ノ乱、いずれも、天皇公卿の権力欲から出たものだ。いま再び、かれらは世を騒がそうとしている。日本を泰平に鎮めた功績は、古くは源頼朝、足利尊氏、徳川家康、この三人の幕府創設者であり、歴世の武士である」

東洋はとくに北条泰時と足利尊氏が好きで、これらを賊臣とみなしている勤王論者とはまるで相容れない。

しかもこわいほど論理が明快で、議論では武市といえども歯が立たなかった。

武市はあせっている。例の薩長有志との密約が、東洋の頑固のためについに果たせなくなるか、という焦躁であった。

「たしかに」

と竜馬は那須信吾にいった。

「お前のいうとおり、参政吉田東洋を殺せば土佐もだいぶ色変りはするだろう。しかし殺すだけが策かね」

「私は殺すだけじゃ。あとの策は、武市さんの腹中にある」

「半平太、どういう腹だ」

「それはこうだ」

武市は、声をひそめた。

竜馬はききおわってから、武市の顔をあらためて見直したほどの大陰謀である。このあぎ（あご・武市の異名）にそれほどの陰謀の才があったのかと思って、竜馬は複雑な心情をあじわった。

実をいうと、吉田参政を斃してみたところで、土佐の藩政をただちに土佐勤王党がにぎる、という景気のいいことはできない。なぜなら、勤王党の九割九分までが郷士で、藩政に参加する資格がないからである。

勤王党のなかで、藩政参加に資格がある者といえば、白札（准上士）の武市半平太、それと、上士の身で勤王党に名を連ねている平井収二郎、間崎哲馬、土方楠左衛門など、ごく少数の者だけである。

ただおしむらくは、この連中は年もわかいし、到底、藩庁を牛耳って上下の秩序をただすほどの貫禄は、まだ持ちあわせていない。

そこで武市が考えたのは、守旧派の重臣と手をにぎることだ。

守旧派といえば、吉田東洋によって、

「無能、尊大、とるところなし」

と藩政の実務からしりぞけられた御一門、国老、重役連中のことである。

かれらは代々世襲の重臣で、能もなければ気概もない。その上、譜代高禄で温(あたた)まってきた者だから、いささかでも現状を改革することに、生理的に恐怖をもっている。吉田東洋の強烈な内政改革方針が不快でたまらないのだ。

「そんな門閥連中と手をにぎるのか」

「そうだ」

武市は、憮然としてあごをなでた。

「それしか仕方あるまい。毒をのむ。吉田にしりぞけられた国老深尾鼎(かなえ)以下のお歴々を、家格どおりの地位に復せしめる、と持ちかければ、よろこんで協力するだろう」

「そりゃ、するだろうが」

「いや、案ずることはない。毒も用い方によって薬になるさ」

「はて薬になるかねえ」

守旧派の連中は、どの男もべつに思想というようなものはないが、強烈な佐幕主義者である。武市はそれを背後であやつって、一藩勤王という、三百年どの藩にもかつてなかった新たな大花火を打ちあげるところまで持ってゆこうというのだ。

「しかし、門閥はみな能なしの芋頭だぜ」

「だから、こっちの自由になる。操れる。むろん、首班には、かれらをつけない。小南五郎右衛門どのになってもらう」

小南は竜馬もよく知っている。譜代重役のなかでは唯一の尊王攘夷主義である。武市の構想は、極右と極左の連立内閣というわけである。が、そのやり方はなんとなく奇術めいていて、竜馬にはあぶなっかしく思われた。

「そんな芝居を思いつくとは、半平太も人が悪くなったなあ」

「たしかに、わしは人が悪くなった」

と、武市半平太が、いった。

「しかし竜馬、善人では、これだけの大芝居は打てないよ」

「悪人ならなお打てぬ」

竜馬は、にやにや笑っている。

「半平太、お前が悪謀家じゃということになれば、もはや人がまわりに集まって来るまい。人が集まらぬと大事はできぬ。されば半平太、悪人というのは、結局、小事ができる程度の男のことだぞ」

「待った」

武市は眼をするどく細めた。

「わしを、悪人というのか」

「言わぬ」

「申したではないか」

「悪謀家になるなと申した。なンも、お前が悪人じゃとは言うちょらん」

「悪謀は生涯これ一回じゃ。しかも私心あってのことではない。土佐二十四万石を、こぞって天朝のために捧げるためじゃ。そのために芋頭の重役とも手をにぎる。参政吉田をも暗殺する。半平太はなんでもやるぞ」

「半平太は狂うた」

「なんじゃと」

「お前の書いちょるのは、無理な芝居じゃ」

「なぜ」

「全藩勤王などは理想だが不可能なことだ。むかしから理想好きはお前の性分じゃ。完全を望み、理想を追いすぎる。それを現実にしようと思うから、気があせる。無理な芝居を打たねばならんようになる。かならず崩れ去る」

「不吉な」

「半平太、いっそ、こんな腐れ藩など見捨ててしまえ。藩ぐるみ勤王などはどだい無理じゃ」

「藩を見捨てるゥ？」

「おうさ。こっちで見限ってしまえ。みな同志で脱藩して京にのぼり、手ごろの小藩を斬りとって山砦を構え、天子を擁して天下に号令するんじゃ。ずいぶんと面白かろう」

「この大法螺め」

武市は、本気で怒った。

「だまって聴いちょらァ、よい気になってそんな法螺を吹くか。左様なことなら、まだわしの藩ぐるみ勤王のほうが現実性はあるぞ」

「それはない。かえって画餅じゃ」

竜馬はうそぶいた。

「お前は山賊になれ。わしは海賊になる。山海呼応して天下をゆるがせば、おいおい天下の士があつまってきて、武力さえできれば、土佐藩も自然くっついてくる」

「法螺、法螺」

「わしはな、半平太。聴け」

竜馬は、真顔になった。

「藩体制を崩さねば事ができぬ、とおもっている。やれ譜代だの格式だの、そんなことばかりで動いちょる侍の組織では、何事もできん。たとえば吉田参政を殺してお前の陰謀が成功したとしても、殿様ちゅうものがもう一つ上にある。その御意向次第でいっぺんに崩れてしまうではないか。さればしまいには殿様まで殺さにゃならんようになる」

「と、殿様を。不謹慎じゃぞ、竜馬」

「土佐の殿様は、名代の頑固者さ。だから、世を直すには一藩勤王などはそれこそ法螺で、浪人軍を作るほうが算盤にあう算用さ」

竜馬はさっさと立って、門を出た。

萩へ

藩庁へ請願していた竜馬の旅行願いが、意外に早くおりた。旅行の目的は、剣術詮議のため讃州丸亀城下に参る、というものである。

むろん、これは表むきだ。真の目的は丸亀から長州へ飛び、萩城下で長州藩の勤王党の連中と会い、この藩での倒幕運動の実際を見る。

（万事、見にゃ、わからん）

というのが、学問ぎらいの竜馬が自然と身につけた主義だった。

（武市が念仏みたいに長州、長州いうちょるが、その長州の足腰を見んことにゃどうにもならん）

武市の策どおり、土佐藩がもし倒幕へ一本にまとまったとしても、長州藩がうろうろしていては、幕府に各個撃破されるだけのことではないか。

讃州丸亀に入ったのは、十月もなかばのことである。

丸亀は、京極氏五万千五百石の城下で、城は蓬萊城といわれ、小さいがなかなか姿がいい。

町家のたたずまいが、土佐とくらべるとどことなく優美で、

(五万石ながら、諸侯のなかでもさすがきっての名家といわれる京極家の膝もとだけはある)

と、本町通を歩きながら、竜馬は感心した。

(おなじ四国ながら土佐は野蛮じゃな)

妙なものだ。二十四万石の城下からやってきて、かえって土佐が田舎臭く思われるのは、讃州の地が、上方の風俗が濃く影響しているからであろう。

竜馬は、居酒屋に入った。

酒を注文してから、

「亭主はいるか」

ときいた。

「さあ」

見ると、こんな汚い居酒屋にはめずらしく気はしのききそうな小女である。

「お前、なんという」

「お初」

きびきびいった。

「旦那さまは土佐のお侍様でございますね」

「わかるか」

「訛でもわかるし、お顔でもわかります」

「顔で？」

「みな、鮪みたいな顔しとるもの」

「ひどいやつだ」

竜馬は、このお初が気に入った。

「亭主がおればきこうと思ったのだが、この丸亀城下で剣術のつよい先生は、どなたとどなただ」

「兵法？」

古い言葉でいった。

「第一に土居町にいらっしゃる藤沢玄斎先生、つぎは、御指南役の矢野市之丞先生。あとはみな棒振りです」

「口のわるいやつだ。おれも土佐の棒振りの一人だが、試合は申し込めるかね」

「厭ややなァ、そんなこと、居酒屋の小女にわかるもんか」

「それもそうだ」

竜馬は大笑いした。

「では亭主にきこう。亭主はいつ帰る」

「私が亭主です」

お初は落ちついていった。

「ほほう、お前が」

みたところまだ十七、八ではないか。が、ただの出来合いの娘ではなく、眼もとがきりっとひきしまり、体つきも軽捷そうで、これで色さえ浅黒ければ、所は讃岐ながら、江戸前といっていいだろう。

竜馬は、姉の乙女の感化が濃いせいか、こういうきびきびした甲斐性女をみるのが大好きである。

(こういう女は、おれの泣きどころだ)

自然、だらしなくにやにや笑ってしまった。

「なにがおかしいのです。両親に早く死にわかれたから、こんな店でも捨てるのは惜しいからやっているのです」

「いや、立派なお店だ」

「そう?」

やはり娘だ。うれしいらしい。抜け目なさそうにみえて、そのくせしんから無邪気そうな性分が、笑顔に出ている。その笑顔に、すれっからしの年増にはないすがすがしい色気があった。

（いかん）

好きになったようだ。

酒がきた。

「この讃州という土地は」

竜馬は一口、のんで、

「上方に大いに回船を送って利をはかり、なかなか商い上手の土地だそうだな。商人衆の地口に、讃岐男に阿波女、というそうではないか」

「讃岐男に阿波女、伊予の学者に、土佐の高知は鬼ざむらい、でしょう？」

「そうそう。それにしても土佐は鬼侍とは、分がわるい」

竜馬は苦笑した。

四国四州の人間の特徴をうたったもので、讃岐男は商人として甲斐性があり、阿波女には一種の性的魅力がある。伊予の国は人の気風がなだらかで武よりも文に長け、それらにひきくらべると、土佐は人種がちがうかと思うほど、気性があらあらしい。そういえば、戦国のころ、土佐で興った長曾我部の侍どもが四国山脈の天嶮を乗りこえて右の三州に斬り入り、またたくまに斬り従えて四国全土を征服したことがある。いわば、四国三州がつねにおそれてきた南方の侵略民族である。

「まあ、一つどうだ」

「はい」

お初は、素直に杯をうけた。

さいわい、昼さがりだから、店に他の客がいない。

「酒は好きか」

「大好き」

「では一升ずつ温めて来い」

「一升？　やっぱり、鬼侍」

夕暮近くには、お初も、足もとがあぶなくなるほど飲んでしまった。商売熱心のこの娘が、昼酒をこんなに飲んだことはない。相手の鬼侍がよほど気に入ったのだろう。

そのうち、かき入れの時分どきになると、剣術稽古の帰りらしい城下の若侍がどやどやと入ってきた。

それにつれて、大工、左官、旅人風（たびびとふう）の男も入ってくる。みな、お初がめあてなのだ。

「お初」

「お初」

あちこちの席からお初をよぶ声がした。この店では、最初の一杯だけはお初が注いでやるのが、しきたりなのだ。客の大半は、それが楽しみでやってくる。

ところが当のお初は、

「ええ、ただいま」

と生返事をするだけで、竜馬のそばを離れようとしない。

――なんだ、あの野郎。

と、店中の憎しみが、他国者らしい竜馬にかかった。

「何者だろう」

衣服が旅塵にまみれている。髪は何日も櫛を入れたことがないらしく、びんのあたりなどそそけ立って、破れ不動のようになっているが、笑顔が、男がみても、ずきりとするほど魅力がある。

――土佐者らしい。

なまりでわかる。

土佐方言は、江戸や上方弁のように抑揚で意味を通じさせたりする言葉ではなく、一語々々、語尾にいたるまで明確に発音する特徴がある。イとヰ、ジとヂまで、入念に区別して発音する。

「旅のお侍」

と、やくざ者らしいのが、右手を懐ろに入れて寄ってきた。

「まさか、お侍がお初坊を買い占めたわけではないでしょうねえ」

竜馬は、ひょいと男の懐ろに手を入れた。

「痛え」

手首を握られた。出てきたのは、白鞘が手あかで黒ずんだ短刀である。

「こういう物を握ったまま、人に話しかける馬鹿があるか」

「この野郎」

「強がるんじゃない。讃州丸亀城下といえば人情のやさしい所ときいている。おれはたったいまお城下に入ったばかりの旅の者だ。初手からおどすもんじゃないよ」

竜馬は、手首をつまんでいるだけだ。が、男はよほど痛いらしく、身をよじっている。

「は、はなしやがれ」

竜馬は左手で猪口をあけ、

「声が大きいなあ」

「どうだ、一杯」

男の左手に持たせてやった。

握るなり、男はそれを竜馬の顔に投げた。

竜馬はちょっと顔をそらせた。猪口は後ろの壁にあたってくだけた。

その拍子に、男の手首を離した。男ははずみをくらって後ろへたたらを踏み、ちょうどそこで屯ろしていた剣術稽古帰りの若侍の体に、どさりとあたった。

「なんだ。――」

若侍たちが、総立ちになった。喧嘩のきっかけを待っていた、という顔つきである。

「無礼ではないか。人を投げて寄越すとは」

「はずみだ。すまん」

「名をいえ」

「土佐の坂本竜馬だ」

「えっ」

みな、蒼くなった。剣を談ずるほどの者なら、土佐の竜馬の名は知っている。

が、相手は多数を頼んでいる。もののわかったのが一人でもおればこういうことにならないのだが、

「なに？　土佐の坂本？」

武士のくせに腕まくりをして、強がるのがいた。こういう手合は、かならず、集団の後ろにいる。

それに、やくざがまじっている。

「旦那がた、あっしもお城下では土器徳といわれた男だ。やりやすから、加勢してくだせえましよ」

（土器徳というのか）

竜馬はおかしかった。なるほどこの城下には土器川という川が流れている。その川っぷちでうまれた徳七、とでもいうのだろう。

「よせ、土器徳」

土器徳め、なかなか愛嬌のあるつらをしてやがる、と竜馬は変な好意をもった。凄ん

でいるくせに、どことなく土瓶の口の欠けたような味な顔なのである。

「やれやれ、土器徳」

と、後ろの若侍どもがはやした。品のわるさからみて、お徒士（かち）の伜（せがれ）どもだろう。

「よせ、土器徳。汝（ぬし）ァ、男伊達（おとこだて）の稼業がら、この場ではひっこみがつかぬだろうが、つまらぬ怪我をすると、いよいよ町で体裁（ていさい）が張れなくなるぞ」

「だまりやがれ」

だっと短刀を突っかけてきた。竜馬はその手をつかみ、表へ引きずり出した。

「土器徳」

と、竜馬はいった。

「ぜにをやる。おとなしくしろ」

「要らねえ」

竜馬が左手ににぎらせてやろうとした一朱銀を土器徳は投げすてた。

「要らんのか。ぜによりこれが食いたいのなら得心のいくようにしてやろう」

ぱっと放すなり、平手で、右頰がめりこむほど撲（なぐ）った。

土器徳は二間（けん）ばかり横へすっとんで、ぶっ倒れた。途方もない腕力である。

「武士に手むかうやつがあるか。なぐられ賃だ。その一朱銀、とっておけ」

竜馬は、店内に入った。

若侍どもは、息をひそめている。が、一人だけ、面ずれのした男が、まだ威勢をうし

ないきっていないのか、

「ふん、下郎をなぐって、得意か」

といった。竜馬はあきれた。歴とした藩の家士とは、もっと品のいいものだ。京極家の家中でも、この連中はよりによってたちのわるい連中らしい。

竜馬はすわって、

「お初、燗が冷えている。つけてくれ」

と命じてから、横あいの若侍どもをぎょろりと見、

「抜くなよ、構えて抜くなよ。武士が刀をぬけば、殺しあうまでやらねばならぬ。勝っても改易、負けても改易だ。先祖から譲りうけたお扶持をつまらん喧嘩でうしなうことはなかろう」

ぐっと一杯のみ、

「どうだ、土佐の馬鹿モンの杯を受けてみんか」

凄い眼で、ねめまわした。まかりちがえば、斬る眼つきである。若侍たちは真蒼になってふるえはじめている。

「あっははは」

竜馬は、がらりとかわった。

「武士というものはつらいものだ。うかつに喧嘩すれば、切腹、改易」

と、こう書けばいかにも毒々しいいい方だが、眼がちがう。まるで、可愛がっている弟を見るようなやさしい眼で、若侍たちを見まわしている。

若侍たちは顔を伏せた。

圧倒されている。

(いい眼をしてる。——)

お初は、ぞくっとなった。男相手の商売をしていて、吐き気の出るほど男というものをみてきたが、こんな眼をもった男に出逢ったことがない。

「武士というものが、三百余藩に割拠して、それぞれくだらぬこけんを立てて肩を張りあっている。だから、えたいの知れぬ土佐藩士の杯など、受けとれぬというのだろう。丸亀の京極家だの、土佐の山内家だのといっているあいだに、国はほろぶよ」

「さ、坂本先生」

若侍の一人が、立ちあがった。

「お杯を頂戴します」

「よせや、気味のわるい。あんたのように、そう底抜けに素直になるのも気味のわるいもんだよ。杯は渡さないよ」

若侍にすればなぶられているようなものだ。

「こう、見渡せば」

竜馬は、しんからうれしそうだ。

「あんたのおなかま衆のなかで、まだ肩を怒らせてこっちをにらんでいるお人がいる。ああいうお人が、将来事をなす人だよ」

「ははあ」

「しかし、酒の場所であぁ睨まれては、せっかくの讃岐の美酒がのどに通らん。ああいうお人とよく相談してくれ。その気なら、みんなでこの店を買いきって陽気に飲もうではないか」

立ちあがった。

「どこへいらっしゃいます」

「お初、ひとねむりしたいが、お前の蒲団がないかあ。わしがひとねむりしているあいだに、丸亀藩と土佐藩が仲よしになるご相談をこのお歴々にしておいてもらう」

「二階へご案内します」

お初が、先に立った。

「――人を食ったやつだ」

と、肩を怒らせた若侍が小声で吐きすてた。この男は丸亀藩の御馬廻役松木十郎左衛門の次男で、松木善十郎。

藩の師範役矢野市之丞の高弟で師範代をつとめ、腕は師匠を越えるといわれている。この稽古仲間の大将株だし、腕もある。自然、この善十郎だけが、戦闘的だった。

竜馬は二階でお初に蒲団を敷かせ、ごろっとねころんだ。

すぐ大いびきをかきはじめた。

(変な人だけど、なにか魂胆があるらしい)

利口なお初はそう思っている。

お初が階下におりると、松木善十郎はすごい面相で、

「あいつ、何の目的で丸亀へ来た」

「剣術詮議だそうですよ」

むろん、お初はそれは表むきだけだと見ぬいていた。

竜馬は、他日、事あるときに、丸亀藩をひき入れようと思っていた。

今度の旅には、そういう魂胆がある。武市がやっているように、土佐藩の郷士だけが騒いでも、天下の事はならない。

他藩に同志をつくることだ。

いわば、遊説である。

遊説だが、竜馬は能弁ではないから、この男はこの男なりの流儀で同志を作るつもりである。

(わずか五万石余だが、こんな小藩にも役に立つ人間はいるだろう)

竜馬が目をつけたのは、あの肩をばかに怒らせている若者である。たしか、松木善十郎といった。

（あいつは、役に立つ）

ぐっすりねむって、眼がさめたときは部屋の中が真暗だった。

（ほい、夜になってしまった）

起きあがろうとすると、部屋のすみで人の気配がする。

「たれだ」

「お初です。いま、行燈に灯を入れます。死んでいらっしゃるのかと思って様子を見にきましたら、すごいいびきでした」

「へーえ」

竜馬は苦笑して起きあがった。

「階下の連中は、待ちかねているだろう」

「あんなことを」

お初は、哺んだような丸い声で笑った。

「待ってなんか、いるものですか。他所者のくせに人を待たせておいて、御自分は酔っぱらって寝たりして。いくら丸亀のお侍がばかでも、そう悠長にはできていませんよ」

「そうかい」

くすくす笑っている。

「みんな、怒っていらっしゃいました。闇討をくらわせてやるんだって」

「うそをつけ。あの剣術屋どもに、それほどの気甲斐性があるものか。みな、不得要領にこそこそ引きあげたろう。かんかんに怒って斬るのなんのと騒えていたのは、松木善十郎だけのはずだ」

「ほんと」

お初は、かちっ、と燧石を打った。が、湿っているのか、うまく出ない。

「つかないね」

「あたしは、火が上手なんだけど」

お初は、じつは手がふるえている。竜馬は、この闇がながくつづけばいいと思っていた。

「お初。あの松木てやつは、城下の若侍のあいだの人気はどうだ」

「そうですねえ」

お初は、あまり感心していそうにもない声である。

「いいお屋敷の坊ちゃんのくせに、小さいときからひどい餓鬼大将で、もう元服もすんだというころでも、このむこうの土器川の磧に足軽の子供なんかあつめて戦さごっこばかりをなさっていました。だからいまでも軽輩の方たちに人気があって、ああやって一緒に飲みにいらっしゃいます」

「そうか。どうかそいつに斬られたいものだ」

竜馬は手をたたいた。その松木善十郎さえ同志にしておけば、一朝有事のときには丸亀藩から数十人の人数はつかめるだろう。

（このひと、おつむがおかしいんじゃないかしら）

そのうちやっと付木にぼっと火がつき、お初は行燈に火をさし入れた。

部屋が明るくなった。

「よかった。闇ン中で若いおなごと一緒にいると、窮屈で息がつまってかなわん」

（だから、このひと、必死になって、しゃべっていたのだろう）

お初はちょっと拍子抜けもしている。男がいつ自分を抱きしめるか、という慄えるような期待が、すっかり消えてしまった。

「お腹、どうです」

「へっている」

「いま、支度します」

お初は、おこったような顔で、立ちあがった。

生娘ではない。お初はこういう商売をしているから、男出入りは二、三度あった。が、どの男も愚劣で、ほんとうの男というものに抱かれたことがない。

「お初、どこか旅籠をさがしておいてくれ」

「どうせ、長逗留なさるのでしょう？」

「まあ、お城下で道場荒しをやるからには、四、五日はかかるだろう」

「いっそ、ここをお宿になさっては？」

思いきってそういってから、行燈のかげから、そっと竜馬の顔色をみた。

はなをかんでいる。

やがて、桶の底をぬいたような音をたててから、

「ああ、そうしよう」

といった。

「しかし、ここに男衆(おとこし)はいるかね」

「いません。通いの婢女(おんな)がいるだけです」

「それは不用心だなあ。いっておくが、おれはあまり身持がよくないぜ」

「まあ」

(たいしたこともできないくせに。さっき、二人きりの闇の中をあれほど厭やがっていたくせに)

街は静かになっている。

高知とちがって、丸亀城下では、日没後の町歩きが、半ば禁じられていた。

「もう、何刻(なんどき)になるえ？」

「さっき、五ツ(夜八時)が鳴りました。だからもう、お店は」

「しめたのか。はてさて、讃州丸亀京極様のお城下とは夜の長い町だ」

「高知のお城下は？」

「ああ、あの土地は宵っぱりだ。酒をのんだり、かん高い議論をしたり、町人までが書物を読んだり、かと思うと若い連中はカイツリさんに出かけたり。だから、人間、血の

気ばかり多くなる。いまにあの国は騒動をおこすよ」

「カイツリさんて、何です」

「お前(まん)、高知のことをよく知ってるな」

「あんなことを。いま、カイツリさんに出かけたり、とおっしゃったばかりではありませんか」

「ああ、そうか」

酒がまだ体のすみに残っているらしい。

お初が、膳の用意をしてくれた。

「お前も、お食べな。こう、横で給仕なんかされていると、窮屈でかなわん」

「じゃ、あたしも頂きます」

お初も膳にむかった。

小柄なくせに、なかなかの健啖家(けんたんか)だ。たくあんを嚙む歯音が、さわやかでいい。

「ああおもいだした。さっきお話のカイツリさんて、なんです」

「あれか」

カイツリさんという方言は、どんな文字をあてるのか、よくわからない。

男女七歳にして席を同じゅうせず、という儒教の教えが行きわたっていたこの時代、土佐の高知城下だけはわりあい大らかだった。

結婚前の娘がいる家には、若い男女が誘いあわせ、カイツリさんになって遊びに来るのである。カイツリさんには、娘の両親はできるだけの歓待をする。このなかから娘の婿がきまらないともかぎらないし、またカイツリさん同士でも好きあいができて、結婚することが多い。

妙な風習で、カイツリさんはかならず変装でやってくる。上士、郷士の息子が町人に化けてきたり、問屋の旦那が火消に化けてきたりするのだ。かと思うと娘たちは、踊りの藤娘などに変装してやってくる。

宵の口にやってくる。

それが翌朝の二番鶏が鳴くころまで、さわぐのだ。長崎手品(てじな)をやったり、左衛門節、浄瑠璃(じょうるり)、芸のない者でも、自作のよさこい節の二つや三つは唄う。

「楽しそうですね」

お初は、無愛想にいった。

「坂本様の奥様も、カイツリさんでもらったのですか」

「いや、わしァ、女房なしじゃ」

竜馬も、無愛想に答えた。

その夜は、床をならべて寝た。竜馬がうとうとしかけると、お初は床のなかに身を入れてきて、

——あたしを坂本様の女(なな)にして下さい。

と、怒ったような口調でいった。小さい固ぶとりのからだが、四肢がびっくりするほど熱かった。

「お前、風邪でもひいたのか」

「え?」

「どこもかも、あつい」

「あんなことを」

素っとぼけて、と舌打ちするように、お初は竜馬の胸を思いきりつねった。よほどひどかったらしく、翌朝、青あざになっていた。

「痛い」

「もっと、つねられたい?」

「やめちょけ」

あわてたから、土佐弁が出た。

その夜はとうとう、お初は自分の寝床にもどらなかった。

翌朝、竜馬が眼ざめたときは、お初のふとんがきれいに片づいていた。階下で忙しそうな物音がする。もう起きて店の掃除をしているらしい。

(いいやつだ)

その日の昼前、例の松木善十郎から使いがきて、「すぐ道場にお招きしたい」という口上だった。この土佐の剣客を叩きのめそうという魂胆だろう。

竜馬は、さっそく支度をして、矢野市之丞の道場に出かけた。すぐ門人に案内され、客間に通された。小庭に、みごとな姿をした百日紅が晩秋の陽ざしをうけている。

(そろそろ冬だな)

とおもううち、矢野市之丞があらわれた。思ったより老人で、尊大にかまえている。

「あんたが、土佐の坂本さんかね」

「――――」

ふむっ、と竜馬は無愛想にうなずいたきりである。この男の地金なのだが、矢野はむっとしたらしい。

「道場破りかね」

と、ありありと侮蔑をうかべた。道場破りなどは食いつめの剣術屋のすることで、どの道場でもわらじ銭を包んで追いかえす。

「いや、たしかお招きだったはずです。御師範代の松木善十郎さんからの口上では、そうでしたが」

「失礼だが、丸亀の芸は荒い。五体そのままで当道場を出られなくなる」

「はあ」

「門人衆も乱暴なのが多くて、師匠の私でさえこまっている。坂本どの」

矢野市之丞はずるそうに笑った。

「いいかな」

「なにがです」

「当道場では他流試合は禁じてあるが、やむをえざる場合は、試合請願者に対し、立切勝負というものを行なう」

「立切？」

竜馬も、あきれた。試合請願者に対し、門人一同が一人ずつ間断なくぶちあたって、当人が疲労でぶっ倒れるまでやらせるのだ。

「まさか」

竜馬は考えこむ素振りをして、

「喧嘩のおつもりじゃないでしょうね」

「当流の真髄を知ってもらうためだ。われわれも、貴殿の御流儀が北辰一刀流という、当世流行の御剣技であられるから、そのよきところは学びたい」

やがて松木善十郎があらわれた。師匠に一礼し、竜馬にもかるく会釈して、

「ただいま、道場にて支度ができました」

といった。

竜馬は立ちあがった。

「お道具、竹刀、お貸しねがえましょうな」

「左様、当流がいかに荒っぽくとも、まさか素手でなされとは申しません」

（素手なら角力だよ）

竜馬は道場に立った。

見まわしてからおどろいた。この流儀はひと時代前の稽古法をとっている。防具でわかるのだ。面籠手はつけているが、胴も垂れない。もともと剣術防具というのは竜馬の師匠筋の千葉周作の師だった中西忠兵衛が考案したもので、流儀によっては頑固にそれを否定したり、刺子蒲団を薄くして打たれれば竹刀あざができるようなものを用いている。

当道場でも、そうらしい。

（これは真剣試合と同じだな）

うかうかすると、絶息、絶命しかねないと思った。

やがて、松木善十郎が竜馬に竹刀を選ばせた。竜馬は、無造作に長竹刀をとりあげた。

やがて竜馬は、この流儀による面と籠手だけをつけ、道場の中央へ進み出た。

審判は、当道場の古参門人で、神田嘉兵衛という初老の人物である。

「されば坂本どの。念を押します。試合は、総がかりの立切、ということでよろしいでしょうな」

「結構です」

といったが、容易なものではない。相手は三十人近くいる。

それが、一人ずつとはいえ、間断なく打ちこんでくるというやり方である。

その上、防具が北辰一刀流とちがって不完全だから、相手の竹刀が触れれば、それだけ体が痛む。疲労も早く来る。倒れれば寄ってたかって叩きのめそうという寸法だろう。

竜馬は、竹刀をかまえ、蹲踞した。

一番手の男も、すすみ出て、蹲踞した。

ぱっ、と面へ来た。

すかさず、胴をぬいて、竜馬の勝ち。相手は防具なしの胴をたかだかと撃たれて、気絶している。

が、その男が板敷に倒れるか倒れないかのあいだに、もう次の男が竜馬に襲いかかっていた。

この相手は、中段。

それを上段へ舞いあげようとした瞬間、竜馬の右足がたっぷり踏みこんで、その上げ籠手を撃った。

竹刀が、がらっ、とはねとんだ。

次の男が、もう、竹刀をからみあわせてきている。

そいつの竹刀を捲くようにして、さらに小さく籠手撃ち。

これも、竹刀をふっとばされた。

（なるほど、これは弱い）

要領がわかってくると、竜馬の剣がのびのびと動きはじめた。

十人ばかりを道場の板敷に苦もなく打ち倒したが、十一人目ぐらいから、ぐっと手ごわくなった。

気合からしてちがう。

「面」

と打ちこんできたのを、あやうく受けたがそのために竜馬の胴があく。

打ちこんだ相手は、さっと竜馬の後方へすっ飛んでゆく。空きっぱなしの竜馬の胴を、新手（あらて）がねらう、というずるい戦法である。

この戦法には、竜馬もよわった。どんどん後退した。

事実上、二人がかりである。しかし巧みにさばいて、竜馬は専（もっぱ）ら胴と籠手をねらった。この防具では、それが最も効果的であった。

十五人目の男は、わざと竹刀を落して、組みついてきた。

竜馬はかわし、そいつの首筋をびしっ、と撃った。

が、なおも組みついてくる。さらに避けようとしたが、そのため、竜馬の体（たい）が不覚にもくずれた。

そこを、別の者が撃ちこんできた。その逆胴をたたきこんで気絶させたが、組み打ち男は、なおその辺にうろうろして竜馬の胴にしがみつこうとする。違法である。審判はだまっている。さすがの竜馬も怒気を発して、ぱっと足で蹴った。

乱戦。もう、こうなれば戦場同然ではないか。

二十五人目まで打ち倒したときは、竜馬はさすがに息が切れた。

手足の関節が、疲労で粘（ねば）くなっている。

（ころはよし）

とみたのは、正面下座にすわっていた師範代松木善十郎である。

「私が出る」

あとの出番の者を目でおさえた。やがて師匠の矢野市之丞に一礼し、みずから、竹刀をとって立ちあがった。

一方、竜馬の表情は、神色自若（しんしょくじじゃく）、とはいえない。余力は十分残しておいたつもりだが、すでに立切で二十五人を相手にして、呼吸が肩までのぼっている。この疲労では、松木善十郎に打ち勝てない。

「こんどは、松木さんか」

面鉄（めんがね）の中で笑ってみせ、

「では、道場をきれいに片づけていただこう」

間をかせぐつもりである。竜馬の足もとには、肋（あばら）を撃たれて動けないのが二人、気絶したのが一人、うずくまっている。それを引きさげろ、といったのだ。

「いや」

と、松木がいった。

「それが当道場の立切の作法だ。そのままで」

「むごいなあ。捨てておくと死ぬかもしれないよ」

言いながら竜馬は絶えず歩きまわっている。じっと立っておれば血が足へさがり、手足の疲労が凝って、身動きが重くなるのをおそれたのだ。

「なんなら、私が片づけてやろうか」

言いながら竜馬は、道場を悠々と半周している。が、松木のそばまで近づかない。

「いや、そのまま」

松木は、低い声で、いった。撃ちの機会をねらっている。が竜馬は、十歩をへだてて、まるくあるいてゆく。

双方の間に、門人の体が三つ。

松木は、それを飛びこえないかぎり、竜馬を撃てない。

竜馬は、息を整えながら、歩く。体に力が次第によみがえってきて、息が、ようやく小さくなってきている。

夫剣者瞬息

とは、竜馬の北辰一刀流の創始者千葉周作の極意であった。剣の勝負とは瞬息（瞬間）に決すべきもの、という意味である。

(それには)
と、千葉周作はかつていった。
心気力一致
そう言い遺して いる。つまり、心(思考)と気と技とが、時空のなかで一致したとき
にのみ、勝負は決せられるべきものだというのだ。
竜馬は、自分をその状態へ、昇らせつつあった。ただ、ひたすらに歩く。歩く。
が、松木善十郎は、それをゆるさない。
ツツ、と間を詰めた。
松木は、門人の体をとびこえた。
さらに松木は、もう一つ、越えた。
「やあ。——」
と、誘いの気合をかけたが、竜馬は下段のまま、びくりとも応じない。
松木は上段、腰を大きく沈めた。
ひらっ、と門人の体をとび越えた。越えようとして両足が空に跳ねた瞬間、竜馬の竹
刀が鋭く鳴った。
夫剣者瞬息
松木は高胴を叩きのめされて、道場の板敷にころがった。

松木善十郎をたたき伏せると、竜馬は、がらっと竹刀を投げすてた。

「なあ、松木さん」

松木は肋が三寸もめりこんだような感じで、起きあがれない。

「剣術なんてものは、しょせん、これだけのものさ」

松木は、首をあげた。眼の前を竜馬の素足が去ってゆく。

「面白くはあるがね。わしもひところは熱中した。しかし、勝つも愚劣、負けるも愚劣。こんなものの勝負に百年明け暮れていても、世も国も善くはならないよ」

(他流試合にきたくせに、あんなことをいってやがる)

妙な男だ、と思うのだが、応酬しようにも息が苦しくて声がでない。

竜馬は控えの間にもどって着更えをすませると、矢立から筆を抜き、立ったままでみじかい手紙を書いた。

「これを松木さんに。いや、呼吸が楽になってからでかまいませんよ」

少年門人に手渡して、道場を出た。むろん、見送る門人もいない冷たさである。

すぐ、お初の店にもどった。

店に客が多い。お初は高下駄をきしらせながら、小気味よく働いている。

竜馬は二階へあがった。

一刻ほどぐっすりねむったが、お初にゆり動かされて眼をさました。

「大変」

お初は、みじかくいった。

「矢野市之丞様の道場でのことが、せまいお城下にひろまってしまっています」

「ほほう、それで？」

「その張本人の土佐の豪傑がお初の店にいるというので、多勢押しかけているのです」

「わしがお初の店の看板男か。繁昌してよかろう」

「あの、馬鹿にしないで」

お初は、こわい顔をした。

「常連のお客はみな怒っています」

「あっ、そいつはいかん」

竜馬は跳ねおきて、階段のほうへ這った。

「どこへいらっしゃいます」

「お前(まん)の店に迷惑をかけたとあれば、じっとしちょられん。階下(した)へおりてなだめてくる」

「いけません」

お初は、ちぎり捨てるようないい方でいった。

「お初の店のことは、お初がちゃんとします」

性根がすわっている。

「ただ、矢野様の道場の御門人衆が、あなたを生かしては丸亀城下から出さぬ、といっているそうです」

「ふむ？」

竜馬はどっと、あおむけになった。ちょっと深刻な顔で眼をつぶった。

「こわいですか」

「こわい」

「それなら今夜、夜逃げをなさい」

お初は顔をのぞきこんだ。

（すこしわしは、あまかったな）

無用の剣技などみせて、他人の名誉をうばってしまった。丸亀京極家の若侍を同志にひき入れるつもりだった剣術詮議が、逆に敵を作ってしまっている。

（若えのう、竜馬よ。——）

お初がぞっとするほど、にがいものが、竜馬の顔にうかんでいる。

その夜、月が出てから、表戸を、遠慮気味にたたく者があった。

——あっ。

お初は、はねおきた。てっきり矢野道場の連中がおしかけてきたと思った。てきぱきと身ごしらえしてから、竜馬に大小を渡し、

「二階の雨戸を開けますから。あたしんとこは軒が低いから、裏口へとびおりられま

す」

「へえ、わしが逃げるのか」

「あたりまえです。だから宵の口、あれほどお城下から消えてしまいなさいとすすめたのに」

しくしく泣きだした。

竜馬は立ちあがった。

「よせよ、泣くのは。おれは涙を見るのが大きらいなんだ」

「馬鹿。たれが好きこのんで泣くもんか」

「それもそうだ」

「わからずや」

泣きじゃくりながら、竜馬の胸をたたいた。

抱きついてきた。小柄だから、竜馬の首にぶらさがったようにみえる。

「しかしお初。あの叩きようはどうやら、物騒な連中の叩きかたではなさそうだぜ」

「音でわかるの」

お初は泣きやんだ。

「わかるさ。あの音なら、そうだな、あれは心の迷った亡者だよ」

「えっ」

「足は二本ある。開けてやれ。わしのことをきいたら、二階だ、といってくれ」

お初は、階下へおりた。桟をはずして、雨戸を半びらきにすると、黒い風が吹きこんできた。

「たれ？」

紙燭をかざした。

その明りのなかで、ひどく面やつれした武士の顔がうかびあがった。松木善十郎である。

「坂本先生、いらっしゃるか」

「松木さん、まさか斬りにきたんじゃないでしょうね」

「ちがう」

手紙をみせた。竜馬の筆蹟である。お初が念のためのぞきこむと、

——国家大変、貴殿にしてもし肝脳を天下に捧げんとする御志これあらば、今夜、初女が店まで御来駕乞ひ奉り候。

とあった。

（——初女が店）

文中のそのくだりを、お初は、うれしそうに口誦んだ。

「それできた」

「そう」

手紙をかえした。

「いらっしゃるだろうな」

「ええ」

お初は、天井をみた。天井板がふるえるような音で、いびきが落ちてくるのである。

「あのいびきがそうか」

松木善十郎は土間の床几に腰をおろした。

「お眼ざめになるまで、待つ」

(叩きおこさなきゃ、あたしが寝られない)

話がこうなると、お初は現金だった。

早速二階へもどると、眠がる竜馬をおこして着更えをさせ、階下へ押しやった。


竜馬は、松木善十郎に天下の大勢をくわしく説いた。

この時代には、むろん、新聞、ラジオといったものがない。天下の人は、現今のわれわれが想像できないほど、時勢のニュースというものに暗かった。

まして讃岐の丸亀五万余石の城下に住んでいる松木善十郎などは、江戸の幕閣の腰ぬけぶり、異国の使臣たちの強圧外交ぶり、水戸藩の攘夷派の騒ぎ(幕末、水戸藩の志士たちは、諸藩にさきがけて過激な尊王攘夷行動の火の手をあげたが、すぐその火は消えた。竜馬のこの時期、過激の活動の本山といえば、水戸だったのである)などは、まったく知らなかった。

知れば、火がついたようなものである。もともと火がつきやすい生まれつきにできていることを、竜馬は見ぬいている。

「これは、じっとしておられませぬ」

と、松木は昂奮して叫んだ。

「まあまあ、飲め」

酒をついでやる。考えてみると、松木は、昼間は竜馬になぐられ、夜は日本未曾有の困難の到来を教えられ、その上、酒をのまされた。それで気が変にならなければどうかしていることになるだろう。

「やります」

肩をふるわせながらいった。

「なにをやるのかね」

などと竜馬は人のわるいことはいわない。事実、なにをやるのか、竜馬でさえ、いまのところよくわかっていないのだ。そのために長州へゆくのである。

しかし、この当時の武士は、いまのわれわれの市民諸氏ではない。武士である。武士が、

「やる」

というのは、命を捨てる、ということだ。腹を切れといえば松木はこの場で立腹でも切るだろう。この武士どもの異常なエネルギーが、明治維新という大史劇を展開させた

のである。他国の革命とは、その点、ちがっている。

さらに筆者は補足しなければならない。このときの竜馬の役割りである。

当時新聞もラジオもなく、世人は時勢に想像以上に暗かったといったが、竜馬のこのときの役割りはいわば新聞記者のようなものである。武市半平太が江戸で取材してきたはなしを、丸亀で伝えているのだ。さらにこれから長州萩城下に行って情勢を取材し、それを高知にもって帰って同志に伝えるのだ。

この当時の高名な勤王の志士というのは、すべてこれである。吉田松陰も、清河八郎も西郷隆盛も桂小五郎も、そして坂本竜馬も、しきりと諸国を歩き、土地の見どころのある人士と会い、中央地方の情勢を伝播し、全国の同志を一つの気分と昂奮に盛りあげていっている。要するに、史上名を残した志士というのは、足で取材し、足で伝播した旅行家ばかりということになる。

「いまなにをしろ、ということではない。このさき事があれば応じてほしいということだけです」

「わかりました。讃州丸亀にいつでも捨てる命が一つころがっているとお思いくださ い」

それから数日して竜馬は丸亀を発つことになった。

発つ日、お初は朝二時から起き出て、竜馬のために支度をした。

お初の家には、分不相応な設備がひとつある。風呂桶である。

それを沸かして竜馬を入れ、お初はたすきをかけ、すそをたかだかとたくしあげて、竜馬のために旅立ちの清めをしてやった。背の垢をすり、爪まで洗ってくれた。

そのくせ、お初は相変らず怒ったような顔つきでいる。

「世話になった」

竜馬は、風呂のなかでいった。

「礼はいいわぬ。いいかげんな礼言葉などをならべれば、うそになるだろう。人の一生の仕合せというのは、こういうことらしい」

「どういうこと？」

「うまく言えん」

竜馬にはわかっている。

花は咲いてすぐ散る。その短さだけを恋というものだ。実れば、恋ではない、別なものになるだろう。

これでいい、と竜馬はおもっている。利口なお初も、それを知っているのだ。

が、知っていながらも、

「ちゃんと言ってください。女は言葉に出していってくださらなければわからないのです。いってくだされば、そのお言葉を一生の宝にします」

といってからお初は何かを懸命にこらえていたが、やがて竜馬の背に置いている両拳（こぶし）がふるえた。泣きはじめた。

しかしすぐ泣きやんだ。

「いいえ、悲しいから泣いたのではないのよ。ここ数日、よろこびが大きすぎたから」

「それで泣いたのか」

「仕合せすぎた証拠のようなもの。お別れの儀式のようなものよ」

「儀式なら、おれも泣こうか」

「まあ」

お初はよろこんだ。

「でも、坂本様は泣き方が、へたでしょう？」

「子供のころはこれでもうまかった」

「それァ、子供ならたれだって」

「しかし長泣きなら城下一だったぜ。だが弱虫だったから、惜しいことに人を泣かせたことがなかった」

「だけど、いまはお初を泣かせてる」

そういいながらも、お初は、竜馬の背すじにくろぐろと密生している旋毛（せんもう）を気味わるそうにさわっている。

「胸だけかと思ったら、背にも、なのね」

「ふむ」

竜馬は、このことに触れられたがらない。お初はその毛に丹念に湯をかけてやりながら、

「あんた、きっとえらくなるわ」

「えらくはならん。しかし百年後に、竜馬という男はこういう仕事をした、と想いだしてくれる人がいるだろう。そんな男になる」

「その坂本竜馬の想い女に丸亀のお初が居た、ということも？」

お初は無邪気にいったが、はっと思いだして、

「そうだ、さっきの約束。泣いて」

「泣くのか」

竜馬はいやがったが、お初があまりせがむので、それでは子供のときの至芸をみせてやろう、と泣くまねをした。

が、まねをしているうちにだんだん悲しくなって本物に泣きはじめた。自分でも、狼狽するほど童心そのものに立ちかえってしまった。

お初は感心している。

希望

竜馬はいったん、伊予松山城下に入り、そこで、国もとの高知表へ急飛脚をさしたて、剣術詮議の旅を延引してもらえるよう、請願した。要は、長州へ潜行する時間を得るためである。

その返事がくるまで、松山城下の旅籠に逗留した。

不自由な時代である。竜馬のような無役の藩士でも、他領に出るにはいちいち藩の許可が必要であった。これを怠ると、自動的に脱藩になる。

その上、他領に逗留するのが、これまた大変だった。どの藩地でも旅人は旅籠に原則として一泊をゆるしているだけで、逗留はさせない。盗賊、謀叛人などが居つくのをおそれたのだろう。逗留するには、宿場役人、町役人などの許しが要った。

松山では、ちぎりや、という旅籠にとまった。

宿帳に名をかき、亭主弥兵衛のあいさつも受け、逗留手続きのことも頼みおわると、そのあと市中見物に出かけた。

伊予松山は、御親藩の久松家十五万石の城下町である。

町数七十一町。家数千七百軒。

地名のとおり、赤松の翠のうつくしい土地で、竜馬も、

（松とはこんな美しい樹だったのか）

と目をみはる思いだった。

町の中央の台地に、三重の天守閣のそびえる松山城がある。

戦国のむかし、太閤譜代の猛将だった加藤嘉明が築いた城で、そのころ塙団右衛門直之が、加藤家の足軽大将として仕えていたことがある。

が、竜馬の眼の前にある天守閣は、嘉明の造営した五層の大天守ではなく、その後建てかえられた瀟洒な三重の閣である。

――春や昔十五万石の城下かな。

という名句（正岡子規）はむろん竜馬のころにはなかったが、そういう駘蕩たる気分がこの町にはある。

城主は久松家。

家康の異父弟であった久松少将定勝を祖とする家系で、累代十五万石を相続してきた。

（ここじゃ、わしは剣術は演らんぞ）

竜馬はそうきめている。まさか御親藩の城下で、倒幕運動の同志をつのるわけにはい

かないだろう。

宿へ帰ってみると、おどろいた。軒下に、

坂本竜馬様御宿

と、紙で貼りだされてあるのである。

「亭主、あれァ、はずせ」

竜馬は赤面していった。

しかし、亭主の弥兵衛は、頑としてきかない。どうやら宿役人から、

――これは剣術のえらい先生だ。

ときいたらしい。

その翌日、城下の道場という道場から使いがきて、

――ぜひ、当道場にて演武して頂きたい。

と頼んできた。

竜馬は、片っぱしからことわった。親藩の侍には用がないと考えたのだ。

十日して、高知から飛脚がきた。

期日延期を許す、という。

竜馬は、三津浜から乗船することにした。

伊予の三津浜から、長州藩領までの瀬戸内(せとうち)横断の定期便船というものはない。

が、幸いにも、長州藩領三田尻港の回船問屋の大坂通いの五百石船が寄港しているというので、それに頼みこんだ。

交渉は宿の亭主が代行してくれた。ところが、長州船の面倒をみている三津浜の回船問屋では、荷船だからどうしてもだめだ、という。

やむなく、じかに船のほうにあたってみたところ、その「住吉丸」という船の船頭が、

「土州の坂本様ならよく存じている」

といって、二つ返事で請けてくれた。

亭主が松山に帰って竜馬にその旨を報告すると、

「長州船の船頭が？」

なぜ知っているのか。

「名はなんと申した」

「讃州仁尾うまれの七蔵だ、と」

「おお」

竜馬は、昂奮のあまり、股肉をつかんだ。

「知っているとも。知っちょるどころか、七蔵はおれの師匠だ」

「剣術の、でございますか」

「いや、船のほうさ」

懐しい。

十九歳のとき、紺の筒袖、紺ののばかまをはいて江戸へ発ったとき、阿波から乗った船の梶取が、七蔵だったのである。あのとき、船の操法を知りたい、という竜馬の無邪気な要求を容れてくれて、いろいろ教えてくれた。

「あのじいさん、まだ達者なのだな」

どうやら、大坂通いの便船の梶取から、長州藩三田尻の回船問屋の持ち船の船頭にまで出世しているらしい。

竜馬は、三津浜へ行った。

回船問屋をたずねると、すでに七蔵が話を通じていてくれたらしく、

「長州船の住吉丸なら沖にいます。伝馬がお送りしましょう」

と、好意をみせてくれた。

途中、伝馬の櫓をこいでいる若者が、

「お客さんは、七蔵どんのお弟子じゃそうでおじゃりますげな」

といった。

「七蔵がそういっていたか」

「大自慢でござりました。お武家を弟子にもっている船頭なんざ、日本中にいないよ。そげなあんばいに」

「あはは、七蔵は自慢っちょったかい」

竜馬もわくわくしている。人生、故旧とめぐりあうことほど楽しいことはない。

伝馬が五百石積みの住吉丸の船腹までつくと、七蔵が、艫の垣立のあいだにある開ノ口から身をのりだして待っていた。

「早うあがれやァ、弟子」

「おう、師匠」

竜馬も、顔をくしゃくしゃにして舷側の梯子をあがった。

抱きあった。

「あれから足掛け九年になるのう。あンとき、お前様は日本一の剣術使いになる、ちゅうておいでたが、その後、ほうぼうの剣術使いにきくと、江戸じゃ千葉様の塾頭にまであがられたときいて、わしァ、うれしかった」

七蔵は、息子にめぐりあったようなよろこびようである。

長州船の住吉丸は、その翌未明、風をはらんで出帆した。

船足は速い。

「七蔵、水夫着をかせ」

「ようおじゃるとも」

七蔵は綿をたっぷり入れたどてらを竜馬に着せてくれた。堂々たる船頭である。

竜馬も、いまは十九歳の竜馬ではない。道中で船に乗るごとにいろんな船知識を仕入れているし、藩の船手組の水夫から操法などもきき、また、この当時、船頭の必読書といわれた、日本船路細見記や、日本汐路之記、廻船安乗録、なども諳んずるほど読んでいて、下手な船頭などよりもはるかに物知りになっていた。
これには七蔵もおどろき、
「ちょうどええ、この船が三田尻へつくまで船頭をやりなさらんか」
といってくれた。
この当時、千石船の乗務員は十四、五人、五百石船は十人前後である。住吉丸は、竜馬をいれて十一人の人数だった。
船に、三役というのがある。現代でいえば制服に金筋のついた士官である。
船頭（船長）
賄方（事務長）
親父（航海長）
というのだ。
これより一階級下の幹部を、
胴間（掌帆長）
梶取（操舵手）
という。
あとは普通船員で、水夫。
こういう気むずかしい連中が、一日もたつと竜馬を、若親方、若親方、と慕うようになった。竜馬にはうまれつき人の親方になる素質があるのかもしれない。

翌朝、暗いうちにおこされた。

「若親方、お出ましを」

と賄方が案内する。たいした威勢である。

船では、毎朝、行事がある。今日一日の航海の安全を祈り、船内の結束を誓う神事のようなものだ。

開始は寅ノ刻（午前四時）。

この時刻になると、船内のあちこちに灯火が点じられてゆくのである。

船頭が船の中央に着座する。

原則として絹つむぎの羽織を着る。が、竜馬は紋服、七蔵はつむぎの羽織。

梶取は、船の艫にすわる。

賄方は、これとは逆に水夫一同を引率して舳にすわる。そのあと、たがいに大声をそろえて、

「共にようござる」

今日もみなで平安にすごしたい、という意味であろう。さらに梶取が、

「おおびき（意味不明）」

そう叫ぶ。すると舳のほうの衆が、

「やんざえ、やんざえ」

と唱和し、さらに梶取が、「さて今の梶様は」と問う。それを受けて舳の衆が「やんざの上」と答える。答えてからみなで船板をとんとんたたくのだ。竜馬もたたいた。いい気持である。

船は、島影を縫ってゆく。

島の多い海域である。

「むかしこのあたりの島々は、伊予水軍の海城でおじゃってのう。遠くは大明、呂宋、じゃがたらまで押しだして、さんざ海賊を働いたものでおじゃるわの」

七蔵は、そんなことをいった。

船頭の部屋は、船上に建造された屋形のなかにある。

竜馬はそこから操船の指揮をした。

とはいえ当時の船頭の操船術というのは幼稚なものである。

西洋式とはちがい、コンパスや海図はもっていないから、もっぱら沿岸を縫ってゆく。

沿岸の山の形などをみて、

（ああ、ここはどこそこか）

と察して、自船の位置を知るわけだ。地廻りという航法である。

だから、夜は沿岸の風景がみえないから航海できないし、外洋に押しながされて陸地がみえなくなると、迷子同然になる。不自由なものである。

もっともあまり沿岸に近づきすぎると、暗礁という船の大敵がある。

海底には、山も谷もある。その起伏をよく見さだめて航海しなければならない。

そのために、

――ツルベ打ち
というものもやる。海底の砂を採取して、その砂の様子で海底の模様を知るのである。

竜馬も、ツルベ打ちをやった。砂の見分け方は、七蔵が教えてくれた。

船には、まだ大敵がある。天候の変化がそれで、これを予知するのが船頭の最大の仕事のひとつである。

「坂本さん、どうじゃ、あの雲」

雲は、ちぎれて飛んでいる。これは大風のきざし、と、竜馬は「廻船安乗録」で諳記している。

「このぶんでは、今夜は、大風じゃな」

というと、七蔵は感心し、

「あたった。宵までに津和地島に逃げこまざァ、なるまい」

竜馬はすぐ、怒和島と二神島の間を通りぬけるべく、梶取に、面（右）かじを命じた。

津和地島（現在愛媛県）で二泊し、海上のうねりのしずまるのを待って、三日目の払暁に、碇をあげた。

碇は、タコ足の鉄製である。八個打ちこんであるのをあげるだけでも、小一時間はかかる。

つぎは、二十反の帆をあげた。

風はさいわい追手だ。

船は、心地よく島影からすべり出た。竜馬の指揮も堂に入っている。

ところが、文珠岳のそびえる屋代島（現在山口県）を右手にみて西走しているとき、とほうもない怪物が、西の沖合にあらわれた。

「なんじゃ、ありァ」

親父（航海長）が、船頭室にかけこんできた。

竜馬と七蔵が、舳へ出てみた。

七蔵もその怪物が何であるかわからない。

沖に白波が立っている。巨大で真黒い船体が近づいてくるのだ。

その真黒い怪物が近づくにつれて、正体がはっきりしてきた。

黒船である。

「親方ァ、黒船じゃァ」

水夫たちも、はじめてみる物体らしい。このときの水夫たちの驚きは、現代のわれわれが宇宙船をみるよりも驚異だったであろう。

みな、舳へあつまった。

「どこの国の船じゃ」

第三檣に、国旗がひるがえっている。竜馬は、かつて河田小竜からきいて、その国旗が何国を示すものかを知っていた。

三つの十字を組みあわせたものだ。すなわち、白地に赤い聖ジョージ十字と、藍地に白の聖アンドリュウ十字と、白地に赤の聖パトリック十字である。イングランド、スコットランド、アイルランドの三州の合併をあらわす大英帝国の旗である。

「あれはえげれす船じゃよ」

竜馬は、ぼう然とつぶやいた。体が、昂奮で小きざみにふるえている。

大きい。

とほうもなく巨きい。

まるで、鬼神のような力強さで、波を蹴たてている。

三本マストで、竜馬が知っているところでは、外輪蒸気船というのであろう。煙突からもうもうと煙を吐いている。舷側にずらりと砲がならんでいる。トン数は、二千トンはあるにちがいない。

「醜夷め」

と武市半平太ならつばを吐くところであろう。武市ならずとも、天下に横行している攘夷主義の志士たちなら、斬りこまんずる勢いを示すであろう。げんにこの五月、十四人の水戸浪士が、江戸高輪東禅寺境内にある英国公使館に白刃をふるって突入し、書記官オリファント、領事モリソンを傷つけている。

が、五百石積みの住吉丸の水夫たちは、武士どものような神がかりの国粋攘夷主義者ではない。船乗りという、職業人としての嘆声をもらしていた。

「醜夷々というが、あいつらはえらいもんじゃ」

と七蔵などはいった。

「あの水夫どもは、地の果てのように遠い、えげれすたらいう国から、万里の海をこえてこんな日本に来とる。わしらァ、あの船乗り度胸に頭をさげるわい」

「七蔵」

竜馬はいった。

「わしはいずれ、ああいう船を何艘も率いて日本の世直しをしてやるぞ」

「そうしなはれ」

が、七蔵は、本気にしていない。

巨船は、住吉丸の右舷をすりぬけた。そのために起った大波小波で、小さな住吉丸は、笹舟のようにゆらいだ。

「いまのおれの話、七蔵、本気で信じろ」

と竜馬はいった。

「わしが、ああいう船の大将になったとき、七蔵はわしをたすけてくれるか」

「たすけますとも。それまで、せいぜい達者でいたいものじゃ」

船は、屋代島大積（おおづみ）の沖を通ってゆく。

その後、住吉丸は、多島海をめぐりながら、ところどころの島で風待（かざま）ちをし、そのため意外に日数がかかって、長州領三田尻港についたときは、正月の元旦であった。

竜馬は、三田尻の回船問屋で一泊。

そこで、船頭七蔵ら十人の乗組衆が、竜馬のために送別の宴を張ってくれた。

みな、この風変りな武士が大好きで、涙を流して別れを惜しんだ。

翌朝、竜馬は一人萩（はぎ）へ出発した。

「おもしろいおひとじゃ」

七蔵は、あとでいった。

「ただ心配なことに、あのおひとは、御政道を京都様へ献上するなどと大法螺を吹きやるが、あれだけが欠点じゃ。将軍（くぼう）さまの御代が、どうひっくりかえるものかい」

竜馬が、長州の都城萩に入ったのは、正月の十四日である。日数をひどくかけたのは、萩までの道中、この土地の人情気風を知ろうがためであった。その藩の士庶の性質、物の考え方、一般の財力、などを見ぬいておかなければ、他日、長州人と提携して仕事をする上で不自由であろうとおもった。こういうことは竜馬だけではなく、当時の遊説型の尊王攘夷家の心得ごとであった。

（なるほど、長州顔というものは、実際あるものじゃな）

竜馬は感心した。

長州人が一般に容貌がととのっていて頭の働きがするどい、ということは、この当時日本にきていた外国人のあいだでさえ囁かれはじめていた。諸藩の志士の間でも、

「長州人」

といえば、まず容貌が秀麗、しかも頭がよすぎて油断がならない、と一部ではいわれていた。

一例をひくと、水戸藩の家老で武田耕雲斎という人物がいた。過激な尊王攘夷家で、のち（元治元年春）浪士たちにかつがれ、筑波山で挙兵し、京にのぼって天子を擁しようとしたが、幕府がまだ強勢であったため事敗れて捕われ、刑死した。この武田耕雲斎が、江戸にあった長州藩尊王派の巨頭桂小五郎より手をさしのべて水長秘密同盟を結ぼうとしたとき（竜馬のこの時期より半年前のことだ）その仲介者に、

「桂君か、あの人物は私が江戸に在府していたときに斎藤弥九郎（桂の剣術の師匠）と同行してしばしば訪ねて来られた。かつ、その仁の撃剣の試合もみたことがあり、その人物はよく知っている。しかしながら」

と、武田耕雲斎はいった。

「元来長藩は怜悧にて油断ならず。君（仲介者）からほどよく断わりくれよ」

そんな秘話は、竜馬もきいている。

（ゆだんがならぬとはいえ、幕府を倒す実力と熱意の第一は、長州藩ではないか）

竜馬はそう思っている。竜馬は、このころになると、自藩の土佐藩の保守性にはいや気がさしていた。むしろ、回天の業は、長州藩を軸としてやるべきだと考えている。

竜馬が乗りこんだ長州藩とは、そもそもどういう藩か。

わずらわしくとも、この小説を読んでいただくためには、このことだけは知っておかなければならない。なぜなら、幕末、この藩は、極端な過激主義となり、政治的に暴走をかさねて、ついに歴史を明治維新にまで追いあげた主導的な藩だからだ。

藩祖は戦国の雄毛利元就である。元就は安芸多治比猿掛という山村の一領主から身をおこして、七十五歳で歿するまでのあいだ、大小二百余回の合戦に勝ちぬき、山陽山陰十一カ国の巨大な勢力をきずくにいたった。元就が死んだ元亀二年といえば、徳川幕府の祖である家康がまだ三十歳そこそこの少壮で、やっと三河と遠江の一部を平定したばかりの年代だ。

要するに、徳川家よりも毛利家のほうが老舗なのである。

太閤秀吉のころは、徳川家康は関東八州二百四十万余石の大名であった。毛利家（輝元）は家康とともに五大老の一として同僚であったのだ。

秀吉が死に、関ケ原の役がおこった。

毛利輝元は思わぬなりゆきから石田三成にかつがれ、西軍の形式上の旗頭として大坂城に在城したが、兵は動かしていない。ただ分家の毛利秀元の隊のみが関ケ原に出陣したが、戦闘には参加しなかった。家康の天下が来ることを見越していたからである。しかし、戦後、家康は毛利家に対して苛酷すぎる処置をとった。百七十万石の毛利領を大幅に削って、長門、周防二カ国三十七万石とし、居城も、広島城から撤せしめて、日本海岸の萩へ押しこめた。理由は、毛利家ほどの強大な大名をそのままにしておくのは徳川家の安全をおびやかすものだったからだし、またその大領土を削らなければ自軍の諸侯へ呉れてやる土地がなかったからでもある。

毛利氏の領地は、五分の一に縮小した。

領土は削られたが、毛利家では家臣の数を整理しなかった。三十七万石をもって厖大な家臣団を養うために、江戸初期にすでに「産業国家」にきりかえている。

つまり幕府も諸大名も米穀経済にたよっているときに、製紙、製蠟という軽工業方式にきりかえ、かつ新田を開発し、このため幕末ではゆうに百万石の富力をもつにいたった。幕末、他藩が農業国家として窮乏にあえいでいるとき、長州藩には十分の金があった。富で洋式軍隊にきりかえ、おなじく軽工業藩である薩摩藩とともに、幕府に対抗する二大軍事勢力になったのである。

やがて、

「徳川討つべし」

という毛利三百年の反徳川感情は、尊王攘夷という姿にかわって、若い藩士のあいだで再燃した。その強力な火つけ役は、吉田松陰であった。

竜馬が長州萩へついたときは、すでに松陰は刑死してこの世にはいなかった。が、松陰が愛した弟子たちはいた。久坂玄瑞がその有力者である。

竜馬は、萩に入るとまっすぐに久坂玄瑞の屋敷をたずねた。

不在だったが、妻女らしい若い婦人が、すでに心得ているらしく、竜馬を客間に待たせてくれた。

「ほんの近所に参っております。いま呼びにやりましたから」

と、細面の婦人はいった。

(このひとが、故吉田松陰の妹か)

頭のよさそうな婦人だ、とおもった。

松陰は、門人のなかで最も久坂を愛し、その末妹をあたえたということはきいている。

久坂玄瑞は、桂小五郎とおなじく医家の出であった。父良迪は二十五石取りの藩医であった。しかし玄瑞の幼少のころに死に、あと兄の玄機が継いだがそれも早世し、いまは玄瑞が家督をついでいる。

玄瑞ことし二十三。

竜馬より五つ年下である。

少年のころに松下村塾に入り、もっとも学才をうたわれた。しかし松陰が久坂に期待したのはその火のような性格と実行力であった。他日、長州の倒幕事業は、同門の桂小五郎、高杉晋作よりも、むしろ久坂玄瑞の気魄がなしとげるだろうと松陰はおもっていた。

維新後、西郷隆盛が長州人にいっている。

——貴藩の久坂先生が御存命なら、拙者など、参議などと申して威張っていられませぬ。

武市半平太もかねがね、

（長州の久坂の人物は、あるいは西郷の上にあらん）

といっていた。が、久坂がそれほどの人物であったかどうか、この青年があまりに短命であったためによくわからない。竜馬と会見した翌々年の元治元年七月蛤御門ノ変で戦死している。

やがて玄関でひどく気ぜわしい足音がきこえて、久坂がもどってきた。

「坂本さん」

あいさつもそこそこに、

「だめです、長州はもうだめだ。長井雅楽（うた）という京都屋敷詰めの家老がひどい佐幕人で、これが勤王論を圧迫している。われわれのほうに理解のあった周布（すふ）政之助という江戸家老も長井のために蹴落され、国もとへ帰されることになった」

と、口早にいった。久坂のいう「駄目」とは、江戸で武市らと約束した薩長土三藩による京都挙兵のことである。

「桂（小五郎）も江戸で歯嚙みしている。長井のために藩論が、がらっとかわった」

「ここに武市の手紙がある」

竜馬は包みをひらいた。

久坂はそれをせかせかと読んで、

「ああ、土佐藩もだめか」

と、投げだした。土佐は頑固な佐幕主義の家老吉田東洋の独裁体制がいよいよ強固になり、一藩勤王などは白昼の夢になっていた。

「薩摩藩もだめらしい。藩主の実父の久光公が藩政をにぎっていて、精忠組（勤王派）の行動をおさえている」

と久坂はいった。とても、三藩首脳を動かして京へのぼり、天子を擁して勤王への義軍をおこすような事態ではない。

「坂本さん、あんたは命が惜しいか」

「惜しくもない」

「わしも要らん。それなら一案がある」

「それならば一案がある」

といったくせに久坂玄瑞は、それ以上はいわず、袴をはらって立ちあがった。

竜馬も仕方なく立った。

「まず、君を旅宿に案内しよう」

(気ぜわしい男だ)

竜馬は、それとなくこの男を観察している。妙なものだ。最初、久坂玄瑞、義助(通称)という名前から想像して小男の才子だろうと思っていたのだが、実物はまったくちがう。

身のたけ五尺八寸ばかり、腰囲(ようい)これに適(かな)うといった大男で、顔はどちらかというと童顔だが、眉がすさまじくはねあがり、眼の切れが長い。そのくせ皮膚は婦人のように白い。まず、堂々たる美丈夫である。

その美丈夫が、存外、火の玉をのんだように気ぜわしいのだ。

(これが、長州第一等の人物か)

竜馬にはまだわからない。久坂にせきたてられるまま、旅宿へ行った。

「酒、酒」

と、久坂はすわるなり女中に命じた。竜馬はその横合いから、

「それに妓(おんな)も」

といった。こんな気ぜわしい火の玉男と二人だけで鼻をつきあわせていては、息がつまると思ったのだ。

「いや、萩の城下には芸者はいませんよ」

と、久坂はにべもなくいった。ニコリともしない。久坂は久坂で、この土佐侍を大し

た人物とも思っていない様子である。

「坂本さんは剣がお出来になるそうですな。あなたが来るというので、家中の若い者が大よろこびだ。あす、その連中のために文武修業館で剣技を見せてやってもらいたい」

「なに、私のは棒振りです」

竜馬はにがい顔をした。

やがて酒が運ばれてきた。

「坂本さん、長州藩の情勢をお話し申しあげよう。先刻も申したように重役の長井雅楽」

これが大奸物だと久坂はいいきった（奸物とは、この時代では有能の別称と思っていい。第一級の政治力、学才、弁才をもちながら、思想的には幕府をたてる主義者のことだ）。長井雅楽は、毛利家中でも名家の出で、はじめ世子（よつぎ）毛利元徳（もとのり）の番頭（ばんがしら）（親衛隊長）であり、当時まだ存命だった吉田松陰とならんで、家中の二秀才といわれた。しかも硬骨の武士である。

その資質は松陰と似ている。血のつながりもあったらしい。家中の人々は、松陰と長井雅楽こそ、藩の将来をになうであろうと期待するむきが多かった。並称されたことが双方にとって不幸だった。

松陰は早くから長井雅楽をきらい、あれは奸物だ、と、久坂、高杉、品川ら、松下村塾の弟子たちに教えていた。血気の弟子たちは長井奸物説を信じこんで成長した。

やがて長井は、藩主敬親(たかちか)(慶親)、世子元徳の知遇を得、江戸に京に、長州藩の藩論統一と外交をになって活躍を開始しはじめた。

説くところ明快で、しかも態度は人を圧服せしめる威容がある。

むろんその論は佐幕主義で、その点、土佐藩における家老吉田東洋に似ている。

そのあと、久坂はなおもはげしい語調で長州藩の保守的現状をののしった。竜馬は黙々と酒を飲んでいるばかりである。

(こいつ、馬鹿か)

年若い久坂は内心思ったらしい。

(三藩密約が危機にひんしているときに、武市半平太も妙な男を寄越したものだ)

竜馬は、杯をかさねている。竜馬も内心では、久坂に失望していたから、いわばあいこである。

(錐(きり)のような男だ)

するどい。

樫(かし)をもつらぬくだろう。しかしそれだけのことだ。血気で事をなす壮士というだけの人物ではないか。尊王攘夷の狂信者という、ただそれだけの印象を竜馬は久坂玄瑞にうけた。

(この手の壮士なら、久坂ほどの学問はないにしても土佐にはいくらでもいる。むしろ

壮士型は土佐の特産物といっていい）

長州には人材が多い、というのが天下の評判であっただけに、竜馬は失望した。この型はめずらしくないのだ。これが長州第一等の人物なのかと何度も久坂の顔をみた。

（しかし好漢だな）

竜馬は悠々と杯を唇へ運んでいる。

久坂は、生一本な激情家だ。

しかも、馬車馬のような攘夷家である。外国といえば悪魔のように思っている。このところ天下、志士と名のつく者のすべてが、久坂と同様といっていい。土佐では武市がその頭目である。

ところが、久坂が「大奸物」という長井雅楽の意見は、「幕府を助けて大いに開国貿易主義をとり、西洋の文物をとり入れ、船をさかんに造って五大州を横行し、国を富ませたのちに日本の武威を張る」というものであった。

（そのとおりではないか）

と竜馬は思うのだ。大いに五大州に威をふるうなどは、竜馬がふるいつきたくなるような名論卓説である。

ただ長井雅楽の論のなかで、

「幕府を助けて」

というのはいけない。竜馬は一も二もなく倒幕論者であった。幕府どころか、薩長土三藩をはじめ三百諸侯をぶっつぶして日本を一本にしたいのだ。一本にするには、中心が要る。それを、頼朝の鎌倉政権樹立以来、六百数十年置きざりにされていた京都の「天皇」に置く。

それが本心をいうと竜馬の「尊王」であった。武市には叱られるかもしれないが、竜馬は当今流行の宗教的な天皇好きではない。

とにかく久坂が、

「奸物の俗論」

と叫ぶ長井説は、竜馬には魅力がある。

しかし、竜馬は表面、あくまでも攘夷論者をよそおっていた。天下の志士はことごとく狂信的な攘夷論者である。竜馬がひとり異をたてては、志士づきあいができない。

久坂はなおも弁じたてた。

竜馬はいちいち、うなずく。眼がほそくなっている。

酔った。

長途の旅で、疲れがでたのだろう。うなずきながらうとうととねむっていた。

やがて、どさりと倒れた。

久坂はおどろいた。

（なんというやつだ――）

やがて、ごうごうと竜馬の鼻からいびきが洩れはじめた。

翌日、竜馬は、久坂から接待役を命ぜられている長州藩士五人にともなわれ、藩の文武修業館に行った。

この接待役の一人に、寺島忠三郎昌昭がいる。当時二十歳の青年で、松陰門下では久坂玄瑞の弟子にあたる（元治元年七月の蛤御門ノ変に、久坂とともに自刃）。

「坂本先生。ぜひ先生の御剣技を拝見したい、と皆が待っています」

と、寺島忠三郎はいった。

長州での竜馬の人気は、土州藩士としてでなく、千葉門下の逸足としての期待らしい。

「剣ですか」

こいつは、丸亀でこりている。勝ったところで恨みを買うばかりだ。

「あんなものは面白くありませんよ」

「ご冗談を」

坂本竜馬といえば千葉の塾頭をつとめたほどの人物だ、たれも信用しない。

竜馬が案内された文武修業館は、正しくは明倫館といい、総建坪が二千七百三十坪という壮大なものである。いかに長州藩が、藩士の教育に力を入れているかがわかる。

ついでながら、筆者はこの稿を書く二年前に萩をおとずれ、市中の宿で二泊した。維新後わすれられたような城下町で、日本海につづく空が青すぎるほどの町だった。まだ武家屋敷が多く残っており、都市設備でいえば、町に最近たった一カ所交通信号が設置されて、それが市民の話題になっていた。青で渡るべきか赤で渡るべきか、まだとまどう人があるときいた。市中に煙突が四本しかないという町もおそらく全国でここだけであろう。それも工場の煙突ではなく、三本は銭湯の煙突で、あとの一本は、長州藩が築造した反射炉あとの煉瓦煙突であった。

明倫館の本館はすでにないが、明倫館のうち武術道場であった「有備館（ゆうびかん）」、それに藩士の水練場（日本最古のプールというべきもので、タテ四十メートル、横十メートル、深さ三メートル）などがのこっている。

竜馬が案内されたのは、この有備館のほうである。

「坂本竜馬がここへきて剣術をみせた、と町の人が伝えています」

と、筆者を案内してくれた産経新聞萩通信部の山県氏がいった。この剣技のことは久坂玄瑞の日記にもある。

——この日、詩経休む。坂本生などの周旋もこれあるをもつてなり。

久坂は、詩経を講じていた。この客気の志士は、漢籍のうちでは、なによりも好んで詩をつくり、それもみごとなものであった。後、八月十八日ノ政変で七人の公卿を擁して京を落ちてゆくとき即興で作ったといわれる「世はかりごもと乱れつつ、茜（あかね）さす日もいと暗く、蟬（せみ）の小川に霧立ちて、隔ての雲となりにけり」ではじまる長詩は、明治の新体詩のさきがけといっていい。久坂の日記に、

——坂本生、藁束（わらたば）を斬る。

とある。

竜馬が、据え物斬りをやってみせたのだ。

そのあと、藩の若侍と立ちあった。

竜馬は、有備館の柔術道場にすわらされ、番茶の接待を受けた。

見まわすと、館生が四十人ばかり、ずっと下座にすわっている。

みんなくだけた態度で、土瓶をまわし送りしながら、茶をのんでいた。

「坂本先生、剣談を」

と、期待しているらしい。

柔術道場と剣術道場とは一ツ棟にあって、べつに壁もなく、そのまま床つづきである。

その剣術道場の板敷に、十個ばかりの藁束が立てられていた。北辰一刀流免許皆伝坂本竜馬に据え物斬りを実演させようという仕掛けであろう。

(おれは剣客ではない。志士じゃぞ)

とどなりたくなったが、世間というものは一たんつけた折紙どおりにしかみてくれない。

長州側は、それが竜馬の謙遜だと思ってしつこくすすめるのである。

「いやいや」

竜馬は相手にならず、天井を見たり、首すじを掻いたり、ひざに這いのぼってくる蟻を追っぱらったりしている。

(天下の志士をつかまえて剣技実演とはなにごとだ)

そんなつもりだろう。

やがて長州藩の剣術名誉の者で楢崎大五郎という武士が、

「それがし、お先に」

と、スパッと藁束を斬った。

つぎつぎと腕自慢の者が出てくる。斬りそこねる者もあり、力あまって切先で床まで切り込む者もあり、ひどいのになると、踏まえた左足の指を傷つけてびっこをひきながら退場する者もあった。

竜馬は見かねて立ちあがった。

「据え物は、こうします」

抜刀するなり片手で斬りおとし、藁束が板敷に落ちるよりも早く刀を鞘におさめていた。

「さすが」

みな息をのんだ。

遅れてやってきた久坂玄瑞もそれをみていたが、この行動力そのものの男は、館生の中から選士数人をえらび、

「坂本さんに一手教えてもらえ」

と支度させた。

竜馬も、竹刀をとるしか仕方がなかった。

面籠手をつけた。

最初に進み出た長州側は、まだ十五、六の少年である。

一礼して、

「やあ」

と撃ちこんできた。

みごとに、竜馬の面に入った。

「あははは、負けた負けた。わしの負けだ」

竜馬は竹刀をなげだし、座にもどった。一同、ぼう然としている。

「先生、おからかいになってはこまります」

「いやいや、拙者が弱いから負けたのだ。ずん、とこたえた」

それを見ていた久坂は、はじめてこの土佐藩士がただのねずみではないことを知った。


久坂玄瑞の日記の文久二年正月二十三日の項に、

——是日（このひ）を以（もっ）て土州人去（どしゅうじんさる）。

とある。ひどく癖のある悪筆である（松陰門下の志士たちは師匠の松陰をふくめふしぎと我流の悪筆ぞろいだった。型にはまるのをきらうはげしい性格をあらわしている）。

日記のとおり、この日、竜馬は萩城下を辞した。足かけ十日の滞在であった。

その前夜、久坂は竜馬の旅宿を訪い、激越な口調でいった。

「坂本さん、御滞在十日のあいだに、ほぼ長州藩の事情は察しられたと思う。藩政は俗物の手ににぎられている。藩祖以来勤王の伝統をもって世に知られる弊藩にしてこのとおりである。水戸、薩摩も同然らしい。尊藩も同然であろう」

事ここに至っては、——と久坂はせきこんでいった。

「諸侯も恃むことはできぬ。公卿も恃むことができぬ」

「なにを恃むんじゃ」

「おのれのみ。志ある者は一せいに脱藩して浪士となり、大いにそれらを糾合して義軍をあげるほか策はないではないか」

「ほう、浪人になりますか」

竜馬は雨後の空に虹をみるような明るい眼をしてみた。

久坂は竜馬に語る一方これを文章にして、武市半平太に書き送っている。

こんにちの眼からすると少々よみなれぬ文体だが、長州における最尖鋭の志士久坂玄瑞の性格が、よくにじみ出ているから、ここに写しておこう。

（前略）草莽志士糾合義挙の外には、とても策無之事（中略）乍失敬、尊藩も弊藩も、滅亡しても大義なれば苦しからず。両藩とも存し候とも、恐れ多くも皇統綿々万乗の君の御叡慮相貫き申さざれば、神州に衣食する甲斐はこれなきか。（後略）

久坂という人物が、この激越な文章によく出ている。長州藩も土州藩も亡んでもいいではないか、というのは、代々主家の禄を食んできた当時の武士としては、よほどの発言であった。

「なあ、坂本さん。たがいに脱藩して、天下に志士を募ろうではないか」

と、久坂はいっている。

竜馬が萩に入った夜、久坂が、

――大事がある。

といったのは、このことである。脱藩は古来、武士にとって最大の重罪のひとつである。主君を見限ることになるからだ。

「坂本さん、どうだ、どう思う」

「ふむ」

竜馬は考えている。が、表情は明るい。

（久坂は、思ったよりすごいやつだな）

この男なら、猪突するだろう。敵の剣電弾雨をおそれまい。平然と砕けて散るだろう。

が、こんな世には久坂型の男が必要なのである。久坂は、一身を捨ててかかっている。
（おれも脱藩するか）
ちらりと思った。

土佐の風雲

土佐の高知城下にもどってきた竜馬は、すぐ武市半平太をたずねた。

武市は首を長くして待っていた。

「どうじゃった長州は」

全藩勤王に立ちあがる気配か、ときいたのだ。竜馬は、首をすくめた。

「だめじゃ、俗論が支配してびくとも動かない」

紙障子にうつっている日射しはすっかり春めいているくせに、隙間風がひどくつめたい。

「やはり、だめか」

武市は、肩の力を落した。

竜馬は、長州における見聞をこまごまと物語ったあと、

「しかしあそこは日本の焔硝庫(えんしょうぐら)じゃとみた。いまは長井雅楽という重役が威勢を張っ

ちょるが、情勢によってはどうひっくりかえるかもわからん。いったん長州が爆発すれば、天下が動くぞ」

「事情は土佐と似ているな」

と武市がいったのは、長州の長井雅楽に相当するのが、土佐の参政吉田東洋だという意味である。いまでこそこの二人の人物は巨大な漬物石のように藩をおさえているが、これがとりのけられたあかつきは、藩が勤王色にぬりつぶされるだろう、ということだ。

が、竜馬は、土佐藩のばあい、武市ほどあまくは見ていなかった。

「長州は、土佐とはちょっとちがうのだ」

と、竜馬はいった。土佐とはちがい、久坂玄瑞、高杉晋作、桂小五郎など勤王派は、みな上士階級に属する。長井雅楽が失脚すればかれらがかわって政局に立てる資格があるのだ。それに身分のひくい連中にしても、土佐ほど階級のうるさい藩ではないから、人材によってはどんどん登用されている。

「それどころか、江戸にいる高杉晋作などは、百姓町人でも志ある者は無制限に足軽ぐらいにとりたてろという意見を吹聴（ふいちょう）しちょるらしい」

が、土佐の参政吉田東洋は、ちがう。藩祖以来の祖法をまもって上下の差別をいよいよきびしくしている。東洋だけでなく、老公の容堂が階級好きであり、門閥の重臣はすべてそうである。東洋一人が消えたところで土佐が一変しそうにないほど、頑迷固陋（がんめいころう）、階級の好きな藩なのだ。

「半平太、おれは土佐をあきらめちょる。河原の石っころ地とおなじだ。お前がいかに耕しても、物は植わらんよ」

「その石っころを一つ一つとりのけるのだ」

「むだ、むだ。石っころは吉田東洋だけではないぞ。百、二百、三百、数知れんほど頑固頭がならんじょる。最後には殿様や老公がいる。みなごろしにするなら別だが」

「これ、不敬な」

武市はおそろしい顔で竜馬をにらんだ。竜馬は平気である。土佐の殿様など、郷士にとっては屁のようなものだ。

「竜馬、しかしこの半平太はお前がなんといおうと、土佐一藩を勤王にしてみせるぞ」

「その方途は？」

「まず、吉田東洋を斬る」

あっ、と竜馬は口をあけた。

「もう決めたか」

「すでに刺客数班をえらび、東洋のすきをうかがわせてある」

武市は、ついに踏みきったらしい。

（武市め、いよいよ東洋を斬るか）

翌日、竜馬は屋敷で寝ころがりながら、おもった。

武市が、暗殺団の黒幕になる。容易ならぬことだ。ひと一人を殺すだけではない。参政吉田東洋を斃して武市が土佐藩の政権をにぎろうというのである。

武市は、すでに自分の門下にあつまる青年のなかから、刺客むきの男をえらんでいる。

第一班　岡本猪之助、同佐之助

第二班　島村衛吉、上田楠次、谷作七

第三班　那須信吾、安岡嘉助、大石団蔵

という顔ぶれで、いずれも剣術精妙の郷士どもであり、自分の命を紙クズほどにも思っていない連中である。

武市は、竜馬が東洋暗殺に反対だと知っているから、竜馬には一切の協力は求めていない。

(――しかし)

竜馬は反対、というほどの理屈の通った気持ではなかった。ただおれの手では殺せない、そういう気持である。

(吉田東洋をわしは一度見た。一度見た鶏でも食う気はせんのに、一度みた人間が殺せるものか)

武市半平太ら一統には、

——天誅。

という殺人の正義感がある。それなりの大理屈もある。竜馬にもそれはわかりはするが、しかし自分は参加したくはない。竜馬には竜馬なりの、竜馬の柄にあう回天への道があろうと思っている。

半月ほど経った。城下はすっかり春になった。

ある日、武市が本町筋の坂本屋敷にやってきた。

「竜馬はいますか」

「居ちょりますとも」

兄の権平は大よろこびで迎えた。権平は、半平太のような俊才が、愚弟の竜馬と親友づきあいしてくれていることが、うれしくてたまらないのである。むろん、権平は、武市が、いまや暗殺団の大黒幕になっていようとは、つゆ知らない。

「ええ陽気になりましたなあ。武市さんはどこぞ、花見に参られましたか」

「ええ、ほうぼう参っております」

むろん、うそだ。武市はこのところ、昼間は吉田東洋と談判し、夜は暗殺計画の密議ばかり重ねている。

竜馬の部屋に通った。

「おい竜馬。いよいよ土佐の天地がひっくりかえるぞ。お前が心配しちょる暗殺後の政局についても、メドがついた」

「ホウかい」

聞かずともわかっている。武市は、東洋によって政権の座から叩きおとされた門閥家老どもと完全な握手ができたのだろう。門閥家老どもはおどろくべき旧弊ぞろいだが、かれらはそれだけに、自分らを追った東洋を、勤王派以上に憎悪している。

「それに、民部様、大学様も御賛同なされた」

山内大学、同民部。いずれも藩主の一門である。そういう連中をかつがなければ、暗殺後、勤王派は頭角をあげられないのだ。武市、なかなか策士である。


この前後、竜馬の一生を一変させる情報が四国山脈を越えて土佐に入ってきた。

「薩摩の島津久光が大軍を率いて京に入り、天子を擁して幕府の政道を正す」

というのだ。

幕末、この情報ほど天下の志士を昂奮させたものはなかった。薩摩藩が、現今のことばでいえば、ごく温和な形でクーデターをおこそうというものである。

長州の久坂玄瑞などは、

――薩摩に先を越されたか。

と、じだんだを踏んでくやしがった。口惜しがっても、長井雅楽のような保守論者が藩論を牛耳っている以上、どうすることもできない。

この薩摩藩の動きは、日本と竜馬の運命を大きく変えたものだけに、しばらくこのことに触れてみよう。

じつをいえば、薩摩藩の精忠組の領袖である大久保一蔵（三十三歳。のちの利通）が、島津久光の命を受けて去年（文久元年）の暮から京都に飛び、そこでしきりと公卿工作をしていた。

大久保の説くところは、

——幕府は腰がぬけている。これ以上、かれらに政治をまかせておけば、いよいよ外夷が増長して、国がどうなるかわからない。

というものであった。

つまり、京都の天皇、公卿をおどしあげたのである（もっとも、大久保はそれほど人は悪くはなかったが、その論法、操縦法は、つねに公卿のその恐怖心理を利用した）。

この時代、京の天皇、公卿などというものはまったく子供のようなもので、外国との貿易はすなわち侵略を受けることだと信じこみ、いちずに戦慄し、彼我の武力比較などはわからず、幕府がかれらを撃攘しないことをふんがいして、

——なんのための征夷大将軍であるか。

と、はげしい不信を抱いている（この天皇、公卿の無智な恐怖心が幕末史を必要以上の混乱におとし入れてゆくのである。またこの無智と恐怖心につけ入って、薩摩、長州、土佐、会津が、幕末政局の四大重鎮にのしあがった、とみられなくはない。なぜなら、朝廷はこの四大藩こそ幕府にかわって外夷を駆逐してくれると思っていたからである）。

策士大久保は、朝廷のこの恐怖心を知りぬいていて、巧みに説いた。むろん天皇直接にではない。鎌倉時代からすでに島津家と特別の親交のあった近衛家（忠房）を通じてである。

「京都守護の名目で、勅諚をもって薩摩藩兵をおよびなさい。薩摩の兵力を背景にすれば、朝廷は幕府に対し強力な御発言ができます」

と大久保は説いたが、結果は、朝廷は外夷よりもさらに幕府の武威をおそれていたため、勅諚をもって勝手に一藩の兵を招ぶことをさけ、「もし島津久光が自藩の意思で入洛するなら黙許」ということにした。

久光は大兵を率いて上洛するらしい。

竜馬が、胸をおどらせたのは、薩摩藩の動きだけではない。その動きに触発されて、それよりもはげしい渦が、天下の一隅で渦巻きはじめたことをきいてからであった。

この情報は、上方、長州、九州方面の諸藩の情勢を探訪して土佐にかけもどってきた檮原村出身の吉村寅太郎から、竜馬はきいた。

夜陰、吉村寅太郎は坂本屋敷をたずねてきて、

「竜馬ァ、一大事じゃ。もはや男子の進退覚悟すべきときが来よったぞ」

と、いった。

そのあと、低声になった。竜馬の兄の権平の耳に入るとうるさいと思ったらしい。

吉村寅太郎はひげの剃りあとの青い小兵な男で、詩才もあるがなによりも豪傑である。激情家でもある。器量も大きく、いつか武市半平太が、

――寅太郎に五万の兵をあたえれば、馬上天下を取る。

といったほどの男だ。果たせるかな、というより不幸にも、この翌年の文久三年秋、勤王倒幕の義軍（天誅組）を大和にあげてその総裁となり、幕軍を相手どってさんざんに戦ったが、時勢まだ熟せず、吉野山中の鷲家口で、身に数弾をあび、

吉野山風に乱るる楓葉は
　わが打つ太刀の血煙りとみよ

という壮絶な辞世を残して斃れた。

そんな男である。もし維新後に生かせておけば、どんな巨人ができたかわからない。

「情勢はこうじゃ」

と、吉村はいった。

筑前の平野国臣、羽前の清河八郎、薩摩の有馬新七らがしきりと京都、九州のあいだを往来し、互いに連絡をとりあって、ついに義挙を決定したという。

「つまりこうじゃ。薩摩の大兵をひきいて上洛してくる島津久光を大坂で待ち受け、久光を説き、これを擁して京都に勤王倒幕の旗をあげようというのじゃ。わしァ、平野と

会ってこれに加盟することに決めた。決めたどころか、いそぎ土佐に帰ってきたのは、この義挙の同志を募るためじゃ」

「武市は、どう言うちょった」

と、竜馬はきいた。

「話にならん。武市さんは、まだ全藩一丸の勤王を夢見ちょる」

武市は吉村に、

――寅よ。百人二百人の脱藩浪人があつまっても、徳川幕府は倒れんぞ。それよりも土佐二十四万石を勤王化して、これを幕府にぶつけるほうが強大じゃ。

――夢、夢。

と吉村は言い、たがいにつかみ合いにならんばかりの激論をしたらしい。武市は、吉村ほどの人物が土佐を脱藩して「愚にもつかぬ義挙」に加わることを惜しみ、泣いてとめもした。が、吉村のほうこそ、武市を脱藩させたかった。

「武市と決裂した」

吉村は、ぽつんといった。

「竜馬、わしは今夜にでも脱藩して京へのぼるつもりだ。武市が動かんなら、せめてお前が脱藩してくれ」

「せめて、とはなにごとだ」

竜馬はわざと怒ってみせたが、ふとさわやかな顔つきになって、

「脱藩か。それもいいなあ」

ひとごとのようにいった。そこにひろびろした青空のような人生が待っていそうな気がする。

一方、武市の東洋暗殺計画は進んでいた。

この暗殺は、むずかしい。

東洋を斃すだけでなく、斃したのち政権をとろうというのだから、何者が何者のさしずで殺した、ということが知れてはまずい。

そのため、用意した斬奸状には、「吉田東洋が佐幕主義であるために斬る」とは、いっさい書かなかった。書けば、下手人は勤王党だということを白状しているようなものだ。

もっぱら、「東洋は贅沢者で国の難儀をかまわず金銀を浪費し、賄賂をむさぼり、みだりに土木をおこし、民の恨みの声に耳をかさない」ということを罪状にあげ、だから天誅を加える、という意味のことを文章にした。

ところが東洋も油断はしていない。

この男は武芸も玄人なみにできた。筑後柳川の剣客大石進から神影流の印可をうけているほどの男だ。

こんなことがあった。

刺客第一班の岡本猪之助、同佐之助が、ある夜情報をえて、お堀端で東洋の下城を待ち受けていたとき、東洋がふと足をとめた。

「あれに、馬鹿がいる」

さっさと道を変えてしまった。

二人の岡本は、どうやら顔を見られてしまったらしい。

第二班の島村衛吉、上田楠次、谷作七にもそれに似たことがあった。

どうやら、藩庁のほうでうすうす勤王党の企図がわかってしまったらしく、最近になって第一班、第二班の刺客の家を、岩崎弥太郎ら下横目たちが、しきりと嗅ぎまわっている。刺客たちは手も足も出なくなった。

（だめだ、人を替えよう）

と武市はおもった。第三班の那須信吾、安岡嘉助、大石団蔵らを使うことにし、しかもよほど確実な情報がないかぎりかれらを動かさないようにした。

もっとも、こんな動きは、竜馬にはあまり関心がない。

（武市が東洋を斃しても、所詮、うまい汁を吸うのは守旧勢力だ。武市はかれら門閥家老どもに利用されるだけのことだろう。土佐の政情はいよいよわるくなる）

そう考えている。

それよりも、こんなろくでもない土佐藩を捨てて、ひろい天下に躍り出たい。

（わしは脱藩じゃ）

竜馬は、固く決意した。脱藩して、吉村寅太郎が伝えた例の義挙に加わるかどうかはべつとして、狭い土佐よりも広い世間のほうが、大きな絵がかけるだろう。

「兄さん」

と、二月の末の朝、竜馬は兄の権平の部屋をたずねた。

「わしァ、脱藩して浪人になるよ」

「えっ」

温厚な権平はびっくりした。さもなくとも医者から、卒中の用心をしろ、といわれているのである。

「おどかすなや」

脱藩は、罪が親類縁者におよぶ。坂本家の家門の維持にかかわることだ。

「竜馬、気でもくるったか」


「気は、たしかです」

「竜馬、耳の穴ァ、かっぽじってよう聞け」

兄の権平は、度をうしなっていた。

「この坂本家は、郷士ながら百九十七石の領地、十石四斗の禄米(ろくまい)を頂戴する国中でもきっての名家じゃ。その家から脱藩人が出たとあれば家がとりつぶされるかも知れんぞ」

「こまったな」

竜馬はにやにやしている。

「なにを笑うちょる。まじめになれ」

「はい」

神妙な顔をつくった。というのは、脱藩するにしても旅費が要る。それに、刀も業物（わざもの）がほしい。それにはどうしても、兄の権平の力添えが要るのである。機嫌をそこねてはこまる。

「竜馬、わしゃ、脱藩させんぞ」

「はい」

「脱藩すれば、累（るい）はこの坂本家におよぶだけではない。親類縁者にもおよぶ。とくにお前の好きな乙女（おとめ）姉さんがどうなるか。乙女の婿殿の岡上新輔さんは御老公（容堂）のおつき医師になって江戸に行っちょるのを知らんわけじゃなかろう。お前が脱藩すりゃ、新輔はお役御免になり、閉門はまぬがれんぞ。乙女がこまるぞ」

（ははあ）

それを忘れていた。

「兄さん、脱藩はあきらめた」

というなり、竜馬は外へとびだした。むろん脱藩はあきらめた、というのはその場のがれの方便である。

高知から東へ七里。

ほとんど駈けるようにして、香我美郡山北村の岡上屋敷についたときは夜になっていた。

当主の岡上新輔は出府中だが、姉の乙女が留守をまもっている。

「竜馬、どうしたのです」

乙女はおどろいた。

「実家（さと）に何か不幸でもあったのですか」

「不幸はあったが、坂本家ではありません。領地百九十七石の坂本家なんぞどうでもよいが、日本の大不幸じゃ。それが権平兄さんにはわからん。乙女姉さんなら、わかっちょるでしょう」

「――――」

乙女はじっと竜馬の顔を見つめていたが、やがてうなずいた。

「脱藩（くにぬけ）するのですね」

「姉さんはどうおもいます」

「竜馬は男の子ですから、それが正しいと思えば、断乎としてやるべきでしょう。しかし事情をよく説明してください」

竜馬は、天下の情勢をのべ、もはや土佐のような腐れ藩にいるかぎり、天下を救うことはできない、といった。

「武市さんは、どうするのです」

「半平太はこの腐れ藩と心中するつもりでしょう。わしはご免じゃ」

「そう。姉のひいき目かもしれませんが、竜馬には土佐が狭すぎるようです」

天下で、乙女だけが竜馬を理解している。乙女は竜馬を自分の作品のように思っていたから、この作品を広い世界に出してみたかった。

「では、脱藩なさい」

「しかし」

乙女の亭主が御役御免になるではないか。

「しかし乙女姉さん。わしが脱藩すれば義兄さんの岡上新輔さんはどえらい罰を食う、と権平兄さんからおどされましたが、たしかになるじゃろな」

「なるでしょう」

乙女は、平然としている。

「新輔どのは殿様から罰を食います。まさか切腹とまでは行きますまいが、妻の弟の不始末ということで、軽くて閉門」

「ふむ。——」

坂本家の迷惑は竜馬の生家だから権平兄に目をつぶってもらうとしても、乙女の婚家である岡上家は気の毒すぎる。

「そうかあ。ならば脱藩はやめた」

「竜馬」

乙女はにらみすえた。美人だが、眼が顔に不釣りあいなほど小さく、それだけに、にらむとかえっておそろしい。

「竜馬は男の子ではありませぬか」

「男です」

「男なら、いったん決心したことは、とやかくいわずにやりとげるものです。新輔どののほうは、わたくしから何とかとりなします。――それに」

乙女は茶を煎れながら、

「わたくしが竜馬でも、脱藩します。男でないのが、くやしいくらいです」

どうやら話の風むきがかわってきた。

「泰平の世ならべつ。こんな時勢に女にうまれてきたことは、くやしくて仕方がありません。竜馬も、そう思うでしょう」

「そうですな」

武芸にも長じ、肚も大きい。乙女が男なら、ひょっとすると土佐を背負って立つ人物ができたろうと思う。

「女にうまれて、その上、武門でなく医家の妻なんぞになって、……無念のやりばがありませぬ」

「はあ」

竜馬は閉口しながらきいている。

「悔んでもしかたがない。そのかわり竜馬、脱藩すれば乙女のぶんも働くのですよ。どこにいても、手紙だけはかかさぬようにしてください」

「そうします」

「いっておきますが、手紙のあてさきは、この山北村の岡上屋敷ではありません。お城下本町筋一丁目坂本屋敷にしてください」

「え？」

「乙女は、御当家からおひまをとります」

竜馬は、仰天した。

乙女は岡上家を出るつもりなのだ。乙女が新輔の妻でなくなれば、竜馬の脱藩は岡上家となんのかかわりもなくなる。乙女が、

――なんとかします。

といったのは、そのことなのだ。

「そ、それはいかん」

「竜馬、おだまりなさい。坂本竜馬という一個の男子を救国のために送りだすのは、それを育てた乙女の義務でしょう」

といってから、乙女はくっくっとわらいだした。

もう、笑いがとまらない。

「ほんとうは、うそ」

といった。

「実は、おなごに手をつけてばかりいる好色漢(ばぶれもん)の新輔どのがいやになったのです」

そのくせ、乙女の眼は真赤である。泣いている。

脱　藩

竜馬は、脱藩の準備をしはじめた。

脱藩には、金がいる。

刀も、業物がほしい。脱藩すれば藩の庇護からはなれ、天涯の孤客になる。身をまもるのは腰間の一刀あるのみである。

竜馬の家には、さすがに城下きっての裕福な武門だけに、最上大業物の「ソボロ助広」が秘蔵されている。

が、兄の権平が、竜馬の脱藩を警戒し、刀箪笥に錠をおろして、とりだせないようにしてしまっていた。

（どうするか）

ふらりと、竜馬は才谷屋をたずねた。何度も書いたとおり才谷屋は、坂本家とは親類というより一家のようなものである。

両替屋、質屋を兼ね、城下では三大分限の一つだ。坂本家の本家で、分家は武士、本家は商人、常山の蛇（両頭の蛇）のようなものである。屋敷も背中あわせになっていて、北門が坂本屋敷、南門が才谷屋の店口、というぐあいになっていた。

「伯父さんはいるかね」

と入っていくと、帳場にいた大番頭の与兵衛が、

「あ、坂本のぼんさま」

と、用心ぶかく眼をしばたいた。というのは数日前、竜馬の兄の権平が店へやってきて、

――みな、よいか。いずれ竜馬が金か刀の無心に来るかもしれぬが、あれの申すことに応じては相ならんぞ。

と釘をさしてあったからだ。

「あるじはただいま藩庁の御勘定方によばれて不在でございますが、なんぞ御用で」

「伯母さんはいるかね」

「いらっしゃいますが、ちょっと癪でおやすみになっております」

「いや、用というほどのことはないのだ。刀蔵のカギを貸してくれんか」

「そ、それは」

「分家のわしが頼むのだぞ。わしは奥で酒を飲んじょるゆえ、持ってきてくれ」

どんどんあがりこんでしまった。

奥の一室で女中に酒を出させ、伯父の八郎兵衛の帰宅を待った。

やがて夕刻になった。

この才谷屋というのはひどく自由な家風で、気楽なせいか、親戚一統の女どもの集会所のようになっていた。

その日も、お市おば（竜馬の祖父の従弟の妻）が、そのめいの久万、孫の菊恵をつれて朝からあそびにきていたが、竜馬をみつけると、

「おや、めずらしい」

と、お市おばがいった。娘たちも竜馬をとりまいて、酌などをしてくれた。

お市おばは、じつのところ竜馬がどういうこんたんで来たか、察している。権平兄が、相当手びろく親類へ触れをまわしておいたからだ。

「刀蔵の中を見たいのさ」

「竜さん、あんた」

お市おばは、こわい顔でいった。女も五十をすぎると、ひどく不敵な面相になる。

「この才谷屋の家憲で、灯をともして蔵に入ってはならぬという禁制があるのをよもや知らぬわけではあるまい。蔵は朝の陽がさすだけだから、あしたの朝にでも出なおしておいで」

お市おばが懸命になって説教するのを、竜馬は、わざと腑のぬけたような顔をしてう

なずいていた。むろん、心中、

（なにを寝言ばァ、いうちょるかい）

と一言も聴いてはいない。

やがて伯父の八郎兵衛がもどってきて、

「あっ、竜馬か」

姿をみただけで顔色をかえた。

竜馬が国抜け（脱藩）の大罪をおかすかもしれぬ、とは、分家の権平から聞きおよんでいたからだ。

「なに、刀蔵をみせてくれと？　それはいかん。町人の家の持物じゃ、ろくなものはないわい。それより下の才谷屋の末娘を嫁にもらわんか。あれはお前に執心じゃと聞いたぞ」

「嫁なぞはいらん」

竜馬はこわい顔だ。

「嫁より、伯父さん、刀をくれんかネヤ」

「これ、というほどの刀はないわい」

というのは、うそだ。才谷屋は城下一の質屋で藩に多額の金まで貸している家である。藩士にも用立てをする。相当な身分の藩士が、刀、武具を質草にしてそのまま流れてしまった品物だけでも、数かぎりなく刀蔵に入っている。竜馬はそこに目をつけたのだ。

「一体、刀をどうするんじゃ。いま佩用しちょる大小でよいではないか」

「理由ァない。ほしゅうなったんじゃ。伯父さん。お前の蔵に吉行があるじゃろ」

新刀ながら業物である。吉行は、ただしくは陸奥守吉行。

寛文年間に活躍した刀工で、本国は奥州の人だが大坂で名をなし、のち土佐藩によばれて高知城下に移住した。作品は丁子乱刃で、出来物が多い。

「吉行なんぞ、ない」

伯父の八郎兵衛は、突きだすようにして竜馬を追っぱらった。

帰宅すると、兄の権平が顔を緊張させて待っていた。

「竜馬、才谷屋へ何をしに行った」

「ほんの、遊びじゃ、遊びじゃ」

部屋に逃げこんで、寝ころがった。こう四方八方から警戒されては、策が尽きたような気がする。

(鈍刀をもって、発つか)

うとうとした。

一刻ばかり、ねむったらしい。

たれかが入ってきた気配に竜馬はとびおきた。部屋のなかはまっくらである。

侵入者は、手燭をもっている。やがてその手燭の灯を行燈に移した。

姉のお栄であった。

「なんだ、姉さんか」

竜馬は無愛想につぶやいた。

いったいに、竜馬の坂本家だけでなく、その一族は女が多い血すじである。竜馬の女きょうだいは、第一姉が千鶴で、これは城下の郷士高松家に輿入れして、いまは二男一女の母である。

第三姉は竜馬を可愛がって手塩にかけて育ててくれた乙女。

その間に、お栄というこの姉がいる。

不幸なひとで、同格の郷士の柴田家に嫁いだが、離縁になって坂本家にもどっている。


竜馬は坂本家の末っ子である。だから第二姉のお栄とは年のひらきがありすぎて、いままで姉弟としての触れあいはほとんどなかった。

(この姉が、なんの用だろう)

竜馬は不審な眼で、お栄をみた。

――坂本の出戻りさん。

といえば、近所ではこのお栄のことだ。お栄は出戻りさんにふさわしく、屋敷の一隅でひっそりと暮らしてきた。

骨組は、ひどく華奢である。その点、「坂本のお仁王さま」といわれた乙女姉さんとはこれが姉妹かと思うほどだが、目鼻だちは、竜馬が十二のときに死んだ母の幸子にいちばん似ている。

「竜馬さん、刀をおさがしだそうですね」

「あ、もうご存じですか。どうもうちの家内、親族一統は女だらけだから、枯野に火が駈けずるようにひろまりますなあ」

「しかし、うわさは一族のそとには出ませぬ。洩れれば罪になります」

「なぜです」

「あなた、脱藩なさるおつもりでしょう」

「あっ、それまで」

竜馬はわざと頭をかいてみせた。が、お栄は笑わない。

「存じていますよ。坂本家、高松家、山本家、才谷屋、岡上家、親族のどの家にとってもこれは大事ですから。あなたの脱藩はどれだけの迷惑を一族にもたらすかわかりません。そのことご存じですか」

「そこまでのんきじゃない」

「第一、あなたご自身もそうです。脱藩すればもう二度とお国に戻って来れませんよ。権平兄さんとも、乙女さんとも、あなたが可愛いがっているめいの春猪とも、生涯会えませんよ。むろん、脱藩人にうちからお金を仕送るわけにも行きません。どこぞの野末でのたれ死してもどう仕様もないことです。そのことお覚悟はありますか」

「弱ったな」

小さくなっている。おとなしいお栄姉さんから、面とむかってこんな大説教を食おうとはおもわなかった。

「そのお覚悟おありですか」

「そりァ、おれ、男の子じゃもんなあ。志のために野末でのたれ死するのは男子の本懐じゃと思うちょります」

「それでよくわかりました」

「ホナ、姉さん、勘弁してくださるか」

「勘弁して差しあげますとも。それに、あなたがほしがっている陸奥守吉行もわたくしからの贈りものとして差しあげます」

「え、姉さんが？」

なンで持っちょる、と竜馬は半信半疑だった。

「一口（ひとふり）もっています。いっておきますが、これは坂本家の所有（もの）でも才谷屋のものでもありませんよ。わたくしの持ちものです」

「おどろいたなあ。お栄姉さんが陸奥守吉行を持っちょるとはなあ」

「ばかにするものではありません」

お栄は、はじめて笑った。

たしかにお栄は持っている。それにはうそはないが、しかしこの陸奥守吉行を竜馬に贈ったために、あとでこの姉の一身に大変なことがもちあがった。

お栄姉さんは、ちょっと中座したが、やがて捧げるようにして一口の大刀をもって、部屋にもどってきた。

「あ、それか」

竜馬はひったくるようにして、抜きはなってみた。

刀身は青く澄み、陸奥守吉行特有の丁字乱れの刃文が、豪壮に匂ってくる。

「二尺二寸」

普通、身長五尺二、三寸の武士の差料に手ごろな寸法である。

「ちょうどいい」

竜馬は、振ってみた。竜馬ほどの大男なら、二尺三、四寸から、ときに二尺六寸の長剣でも十分にこなせるのだが、かれはどういうものか、短い刀を好んだ。好みにぴったりというわけだろう。

念のため目釘をはずし、中茎をしらべた。

在銘である。

「なるほど陸奥守吉行。ほんとじゃ。が、姉さん、ふしぎじゃな。なぜ姉さんが、こんな刀をもっちょられます」

「これはね」

お栄は、ちょっと悲しそうな眼をした。

「柴田の旦那さまから、形身じゃ、といって頂戴したのです」

「えっ、柴田の義兄さんから？」

もっとも、もう義兄さんではない。

なぜなら、柴田義秀は、お栄の先夫で、ふたりはすでに夫婦ではないからである。

竜馬は、お栄姉さんがなぜ実家に帰ってきたかについてはくわしくは知らないが、すくなくとも夫婦の愛情の問題ではないらしい。むしろ濃かなほうであった。離婚の理由は、姑との折れあいがまずかったからであろう。

その証拠に、夫の柴田義秀は、お栄を実家に帰すとき、この陸奥守吉行を与え、

「わが家の家宝である。どうかわしの形身と思ってもらいたい」

といって、あずけた。

お栄は、それを抱いて実家へ帰った。

「そ、そうかあ」

竜馬は、割りきれぬ顔をした。

「すると、姉さん、これは姉さんの女のいのちのようなものじゃないか」

「いいえ、いまでは主人でもないひととの形身ですもの。もっていたところで」

眼を伏せた。

「仕方がありません」

「そうかなあ」

「この刀も、左様なめめしい男の形身になって女の私の簞笥の中に眠っているより、竜になって飛びたつ竜馬どのの腰間にあるほうが、どれだけ似つかわしいかわかりません」

「わかった。頂戴いたします」

これが、お栄の不幸になった。

竜馬の脱藩後、藩庁の調べで、柴田家の陸奥守吉行の一刀をお栄からもらいうけたことがわかり、柴田義秀は激怒した。

じきじき坂本家へ来て、お栄を責めた。

「なぜ、そなたはわしの形身を余の者にあたえたか」

そのあと、お栄は、自殺している。

考えてみると、天が、竜馬という男を日本歴史に送りだすために、姉の一人を離縁せしめ、いま一人の姉に自害までなさしめている。異常な犠牲である。

ある日、竜馬は、ぶらりと武市半平太の屋敷を訪ねた。

「ほう、しばらく顔を見んじゃったのう」

武市は、変に懐しそうに笑った。

この男には、なにか虫の報らせるものがあったのであろう。竜馬は、武市に、それとなく脱藩のための最後の別れに行ったのである。

竜馬は、この友人には脱藩のことはおくびにも出さない。「全藩勤王」の夢を追っている武市は、力ずくでも竜馬の脱藩をとめるだろう。竜馬が居なければ片腕をもがれたようなものだし、武市のクーデター計画にひびが入る。

「竜馬、きょうは妙な顔をしちょるのう」

「そうかい」

ツルリとなでた。

竜馬の心境も、悲痛であった。脱藩すれば、もはや一生で、この友人と再び相見ることはないかもしれない。

「武市、計画は進んじょるかネヤ」

「進んじょる。吉田暗殺のあとの参政、執政、大監察、郡奉行などの顔ぶれも、ほぼきまったわい」

名をきいてみると、小南五郎右衛門、平井収二郎という男のほかは愚にもつかぬ旧弊の門閥家ばかりである。むろん、武市自身は身分が低いから政権奪取後の名簿には入っていない。裏であやつろうというつもりにちがいない。

「しかし、顔ぶれをみると、古道具屋のひな人形のようじゃなあ」

「まあ、仕方がない。しかし、老公の弟ぎみ（民部）などは、武市まだか、と何度もさいそくなされておる」

山内民部は藩公の御一門、連枝（れんし）のなかでもとくに頭のするどいひとで、容堂（老公）や豊範（とよのり）（藩主）とはちがい、政治的には無責任な立場にあるから、武市の構想する「勤王土佐藩」をひそかにあとおししている。

「弟君が、老公や藩主に弓をひくわけじゃな。これァまるで、講釈のお家騒動のすじがきじゃ」

竜馬は無邪気に笑ったが、むろん肚の中では、

（武市のばかめ）

と、おもっている。成功したところで、大の幕府びいきの老公が江戸にいる。しかも吉田東洋をとりたてたのはこの老公であり、老公その人は天下の諸侯のなかでも、切れもので通った人だ。隠居したとはいえ、国もとの政変を、だまってみているはずがない。

「武市、聞け。もし暗殺、政変が成功したとしても」

「おう」

「江戸の老公が、そりゃいかんぞ、と騒げばどうするんじゃ。そのときは老公に、矢や鉄砲弾をあびせる覚悟があるのか」

「ばか、不敬な。成功後は、おれはただちに江戸へ走って老公を説得するわい」

「お前(まん)より学があるぞ。それに殿様に似合わず弁はお前より立つお人じゃぞ。その上、異骨相(いごっそう)で、人のいうことなぞきかんお人じゃ。武市、最後に忠告するが」

「おお、何でもいえ」

「こんな土佐藩をすてろ。捨てて脱藩せい」

「脱藩」

武市は、ぎょろりと竜馬をみた。

「竜馬ァ、お前、まさか脱藩するんじゃあるまいな」

「いや、せん」

竜馬は、急に唄をうたいはじめた。

土佐藩参政吉田東洋が、武市の勤王党の手で暗殺されたのは、文久二年四月八日、夜、十時すぎである。

この日、夕刻から、細雨がふった。

夜に入って天暗く、城下の空に、ほととぎすが、裂くような声で鳴きわたっていたという。

東洋は、城内の御殿にいた。この日は、恒例によって、東洋が若い藩主に進講をする日であった。教材は、頼山陽の「日本外史」であった。

この夜の講義は、東洋自身の運命を暗示するかのように、信長の「本能寺兇変」のくだりであった。

吉田東洋は、単なる門閥の重臣でもなく、政治屋流の男でもない。卓抜した学殖があった。信長の最期を語るにあたって、日本外史を教材としつつも、あらゆる史実を駆使し、藩公の座の前にありありと生ける信長を現出せしめるような説きかたであった。同時に、叛臣明智光秀の人間と、その苦悩を説いてゆく。

（光秀）曰く、「今は事すでに迫れり。われはまさに、まづこれを発せん」と。五人（光秀の家来）諫めてこれをとめんと欲せしも、光秀の意色すでに決し、諫むべからざるを視、すなはちその謀に賛成せり。（中略）老坂に至る。右折すればすなはち備中に走る道なり。

光秀はすなはち鞭をあげて東を指し、颺言して曰く、

「わが敵は本能寺にあり」

昧爽（夜明け）、本能寺をかこみ、鼓譟して入り、弓銃、こもごも発す。

若い藩主はかたずをのんできいている。おそばで陪席している者は、由比猪内、市原八郎左衛門、後藤象二郎（竜馬により勤王派となる、維新後伯爵）、福岡藤次（同上、維新後孝弟と名乗り、子爵）、大崎巻蔵。かれらはのちに、このときの東洋は、平素の講義よりもはるかに熱を帯び、「説きさり説ききたり、当時の情景を眼の前に見せるかのようであった」とこもごも語っている。

東洋の名講義さらにつづく。

信長は、臥内（寝所）にあり。驚き起つて曰く、

「反する者は誰ぞ」と。蘭丸をして出でてその旗幟を視せしむ。かへり報じて曰く、

「惟任光秀」

信長曰く、「豎子（小僧）敢へて爾るか」と。すなはち弓を手にして出でぬ。蘭丸以下の宿直の者みな肉薄して拒ぎ戦ふ。信長はみづから射て数人を倒せり。槍をとつてたたかひ、右肱に傷つく。すなはち走り入り、姫妾を揮して逃れ去らしめ、火を縦ちて自殺せり。

講義のあと、御酒下されがあった。

東洋はしたたかに酔った。

「いや、今宵は肝にひびくような講義であったぞ」

と、若い藩主がいった。東洋は満足そうにうなずいた。

「日ならず、御出府（参観交代で江戸へゆく）でござる。最後の講義ゆえ、つい熱が入ったのでござりましょう」

この夜、殿中で東洋の講義がある、ということは、武市半平太の手もとに情報が入っていた。

「講義がおわれば、恒例によって御酒が出るだろう。下城は、戌（夜八時）すぎになる

のではあるまいか」

と、武市は、刺客たちにいった。

刺客の顔ぶれは、
那須信吾
安岡嘉助
大石団蔵
の三人である。

そのほか、河野万寿弥（のちの敏鎌）がいる。河野は、暗殺後の始末をつける役目である。

暗殺が成功すれば、暗殺者の三人は、一たん城下の長縄手の観音堂にあつまる予定であった。そこで、始末役の河野が待ち、首を受けとる。三人の国外脱出のための路銀、装束などもこのお堂に用意してある。

大男の那須信吾は、刀の目釘をしらべていたが、不意に立ちあがって、

「まだ出かけるまで時間があろう。ちょっと町へ出てくる」

と、外へ出た。

雨がふっている。

那須は、家老深尾家の下屋敷のお長屋にいる十九歳の甥をたずねた。

甥とは、のちの田中光顕である。この人物はこののち脱藩し、諸方に奔走して維新後

いわゆる元勲の一人となり、昭和十四年に九十七歳で死んだ。当時、佐川という在郷から出てきて、武市塾に学んでいたのである。

那須は土間で唐傘の水を切り、

「顕助(光顕の幼名)、ここへ寄れ」

と、土間に降りさせた。

「よいか、大事を打ちあけにきた。そちは年少ながら男子ゆえ、他言はすまい。今夜、わしは参政吉田東洋を斬る」

「えっ」

「ばか、静まれ。ついては、じゃ。このこと、わしは義父にも妻にも明かしておらぬ。ただ、東洋を斬った上は、一刻も早くお報らせ申したいお人が、一人いる。われら貧乏郷士の家を累代扶持してくだされた深尾鼎(家老・佐川の領主で、東洋のためにしりぞけられ、知行地で閉門中)様が、東洋をいたくお恨みじゃ。首尾をとげたむねを、そちが佐川まで駈けもどって言上してくれぬか」

「して、東洋待伏せの場所は?」

「お城下帯屋町」

「刻限は?」

「今夜のうちに斬る。そちは明朝夜明け前に現場にゆき、死骸、血痕をたしかめ、その足で佐川へ走るのじゃ。年少ゆえ、途中ひとに見られても、怪しまれまい」

顕助の胴が、武者ぶるいで慄(ふる)えた。

このくだりを、田中光顕が九十四歳のときに口述した自伝によって紹介するのが、適切だろう。

「ではたのんだぞ」

叔父は後々のことを私に頼むと、何事もなかつたやうに引き上げて行つた。戸外は、春の懶(ものう)い糸のやうな雨が、そそと降つてゐる。その雨の中を、叔父は、悠然と引き上げてゆく。千万無量の気持を推(お)しはかりながら、私はじつと立つて見送つてゐるばかりであつた。

その夜、一晩中、私は胸騒ぎがして、まんじりともしなかつた。

東洋、亥ノ刻(夜十時)、お城を退出。

「いや、酔った」

と、御殿の玄関で若党がさしだす傘をうけとり、ぱらりとひらいた。

一面の闇が、糠(ぬか)のような雨でぬれている。

若党が提灯をさしのべて先導しつつ、主従は城内の石段をおりてゆく。供は若党に草履取りがひとり、いつものように二人である。

石段をおりるとき、東洋の身をまもるようにして、数人の若い武士が前後した。きょうの進講の陪席者たちであった。後藤象二郎、市原八郎左衛門、福岡藤次（孝弟）、由比猪内、大崎巻蔵らで、いずれも東洋の蟄居当時の門人であり、東洋が政権の座に復してから抜擢した新官僚たちである。

「御執政、まったく」

と、福岡藤次が傘をかたむけて微笑をむけてきた。

「本夕の御前講は、いつもに増して結構に存じました。信長の本能寺における最期など、一代の英雄児の生涯をかざるにふさわしい劇的なものでありましたな。凄惨のなかに華やかさあり、いやまったく拝聴していて、眼にみえるようでございました」

「左様か」

吉田東洋は、ゆっくりと雨の中を降りてゆく。ほめられて正直なところ、わるい気持はしなかった。自分でも、きょうの御前講は入神の心境というか、予期以上のできばえであったとおもっている。

「わたしも、あのくだりが好きでな。その生涯が一篇の詩になる者を英雄という。わたしは信長の生涯をおもいつつ、本能寺の紅蓮の炎のなかで愛用の槍をふるう英雄児そのひとになりきっていた」

「上様もご満足のご様子でございました」

と、大崎巻蔵が頭をさげ、それをひきとって由比猪内も如才なく、

「御参覲のおはなむけとして、なによりでございましたな」

と、ほめあげた。

城門を出て、大手筋にさしかかった。雨脚が、こころもちはげしくなったようである。

「では御執政、それがしはこれにて」

と、福岡、由比それに市原は、わかれた。かれらの屋敷は、大手筋を出てすぐ南へ折れねばならない。

東洋のそばに残ったのは、大崎と後藤。

教授館の前をすぎ、やがて南に折れ、東西に走る帯屋町筋に出た。

後藤、大崎の屋敷はさらに南である。しかし東洋の屋敷は、この帯屋町の角を、東へ折れねばならない。

「では、御執政、お気をつけて」

と、若い後藤象二郎はいった。象二郎は、東洋の血縁である。のちに土佐藩の参政になり、竜馬にひきたてられて佐幕派から勤王に転ずる男であるが、性、粗大奔放、このときはなんの予感もしなかったらしい。

東洋は、ついにひとりになった。

前後に、若党と草履取り。東洋は左手に傘の柄をにぎり、ぬかるみを避けながら、ゆっくりと歩いてゆく。

その十数歩さき。

三人の刺客が待ち伏せている。

壮漢三人。

いずれも、面体を布でつつみ、百姓蓑を着こみ、屋敷々々の門、塀の暗がりでうずくまって、雨に打たれていた。

（まだ来ぬか）

気のみじかい大石団蔵は、いらいらしながら、身を小きざみに動かしていた。蓑のなかにノミがいたのか、それとも、こういうときにはそんな生理になるものか、妙に全身がかゆい。しきりと、掻いた。

安岡嘉助。

これは、前野久米之助という上士の屋敷の塀ぎわにかがんでいる。

まげがぐっしょりと濡れ、眼、鼻、口へ、雨が間断もなくしたたり落ちた。なんども、かがんだまま、小便をもらした。それもほんのわずかしか、出ない。おわると、また尿意を催すのである。

（どういうわけじゃろ）

手をさし入れて、ふぐりをつかんだ。吊りあがるように固かった。袴のなかが、濡れている。雨のせいではなかった。

那須信吾。

これは、前野屋敷の門の軒下で、大あぐらをかいていた。

古手拭を一本、頬っかぶりにしている。心中、しきりと田舎(いなか)の佐川に置いてきた妻と二児の顔がおもいだされたが、眼をむき、歯がみして打ち消そうとした。

(もはや、相見ることはあるまい)

二児の将来は、老父俊平がみてくれるであろう。そうは思いつつも、虚空の闇をにらむ眼に、涙がとめどもなく流れてくる。

(えィ、父がなくとも子は育つわい)

何度も、腕で涙をかなぐりすてた。老父の俊平は、貧乏郷士ながらも多少の田畑もあり、槍術(そうじゅつ)の田舎道場ももっている。むろん、暮らしにこまることはあるまい。

やがて、帯屋町一丁目の辻に、ポツリと提灯の灯がうかんだ。

(東洋か。——)

と、場所の関係で最初に気づいたのは、大石団蔵である。

蓑をかなぐりすてた。

大石は、黒木綿(もめん)の紋服に小倉の袴。刀のさげ緒で、十文字のたすきをかけている。大刀は、大石家伝来の名刀で天文祐定(てんもんすけさだ)(現存)。

備前長船(おさふね)の鍛冶である。二尺三寸、ソリは六分、乱れ刃である。ツカは半巻、ツバは土佐明珍(みょうちん)の作。

鞘は、朱。

大石団蔵は鯉口を切って雨中に走り出、安岡が揉みあうようにつづいた。先導する供の提灯をいきなり斬っておとしたが、この初太刀が大石だったのか、安岡なのか、よくわからない。

（遅れたり）

那須信吾は、門前から飛びだし、雨中を駈けだした。袴はつけず、着物のすそを尻のみえるまでからげている。

闇になった。

大石団蔵が、東洋の供の提灯を斬りおとしたためである。

「痴れ者――」

東洋は、底ひびくような声を出した。腕は神影流の皆伝である。それも、ただの旦那芸ではない。

腰間の大刀は、ただの家老のような、拵えばかり華美で中身は細身の「殿中差し」などではない。

――実戦むきに。

と東洋がとくに注文して、高知城下南奉公人町に住む名工行秀に打たせた二尺七寸という豪壮な太刀である。刃の幅あつく、中反、匂いが深い。これほどの長刀は、よほど、長身で剛力の者でなければあつかえない。馬上ならともかく、常時の佩用にすべきものではない。が、東洋は戦国武士の風を好み、刀も、馬上でヨロイ武者を斬る目的のものを、というわけで打たせたものであろう。

那須信吾は、大上段にふりかぶっておどり出た。

「元吉っ（東洋の通称）」

とまでは叫んだが、右足がぬかるみにとられて、わずかにすべった。

「国のために参る」

ざあっ、とふりおろした。

東洋は、刀をぬく間もなく、ひらいた唐傘で、受けとめた。

那須信吾の刀がその傘を斬り、東洋の左肩にまでおよんだが、傷は浅い。

「痴れ者、名を、名を名乗れっ」

というなり、東洋は高足駄をぬぎとばしてはだしになり、三歩とびさがった。そのときは、剣をぬいている。

「なんの遺恨ぞ」

「天誅じゃ」

那須はふみこんで、うちおろした。東洋は刀の物打ちで受けた。欠けた刃が、火になってぱっと闇にはじけとんだ。

大石、安岡の二人は、若党と草履取りを追って行ったために、この場にはいない。

「ど、どこの」

東洋は、はげしく踏みこみ、神影流独得のするどい突きをくれ、

「貧乏郷士じゃい」

と、叫んだ。

さらに激しく数合。

那須は、やや受け太刀になってきた。雨が容赦なく、眼に流れこんで来る。

「汝ァ」

東洋の気合は、ものすごい。

まわりは、上士たちの武家屋敷がならんでいる。この東洋の声がきこえていないはずがないのだが、しんと静まりかえったままである。かかわりあいになりたくなかったのであろう。

そこへ、しぶきをたてて、大石団蔵、安岡嘉助が駈けもどってきた。

東洋は、はっとした。

背後にも、敵がいる。

安岡は、東洋の背をみた。

山のようにみえた。

東洋は巍然として姿勢をくずさず、前面の那須信吾にむかっている。

(いかん)

ふるえた。大刀をふりかぶった。右足のひざだけを前に出した。が、あごは前へのめ

り出ている。腰は、後ろへ置きわすれた。平素習熟した刀法をわすれてしまい、やくざなどがやる拝み打ちの姿勢で、

「うわあっ」

と、背にむかって、斬りかかった。

——おっ。

東洋は体をひらき、戞っ、と安岡の刀をたたいた。安岡は、不覚にも二、三歩泳いだ。あたりは、ばくばくとした闇である。

東洋が逃げようとすれば、この瞬間こそ絶好の機会だったろう。東洋が真に人生の達人なら、逃げている。

が、ここで東洋の性格が、わざわいした。元来、攻撃的な性格で、諸事、異常なほどの自信のもちぬしであった。

「この馬鹿者」

東洋は刀をふりあげた。突ンのめった安岡の背を叩き斬ろうとした。が、敵は安岡だけではない。前面に那須、背後に大石団蔵がいる。

「東洋っ」

大石は例の天文祐定を相手の背に叩きつけた。東洋の背が、割れた。血が飛んだ。東洋は、わっ、と横へ崩れようとした。大石は、力あまって、路上の小石までを切った。

その東洋の崩れにつけ入った前面の那須信吾が、

「吉田殿、国のために御成仏。――」

と水もたまらず右袈裟に斬りさげた。どっと倒れた。この一太刀が、東洋に生涯を閉じさせた。

「嘉助、首を、首を打て」

と、たれかがいった。

安岡嘉助は近づいて、太刀をふるった。しかしあたりは、手足の位置もわからぬ暗さである。

手をあやまった。ふりおろした刃が、がっ、とあごの骨にあたった。切れなかった。

何度もやりなおし、あたりに凄惨な血のにおいがただよった。やっと首胴を切りはなし、白木綿で首級をつつんだ。那須が手を貸した。この布は、たれかがいそいで外した古ふんどしである。この古ふんどしについては、

――武士の礼を知らぬ。

とあとで武市が怒ったそうだが、那須、大石、安岡は、いずれも食うや食わずの貧乏郷士で、あたらしい木綿を用意する余裕がなかった。

皮肉なものだ。平素、豪奢な絹服をまとい、長襦袢まで真赤な緋縮緬を用いた上、

――上士は贅沢をしろ。郷士は綿服のほか用いるな。

ときびしく階級の差別をしていた吉田東洋が、首になって貧乏郷士の古ふんどしにくるまれてしまった。

三人は、雨中をとぶように走った。犬が二、三頭、血の匂いをかぎつけ、首をかかえた安岡にしきりと飛びついてくるのには弱った。安岡はその犬から逃げるために、足が宙で空まわりするほどの勢いで、走った。

このころ、すでに竜馬は高知城下にいなかった。

武市一派の東洋暗殺にさきだつ十四日前の文久二年三月二十四日、闇にまぎれて脱藩してしまっていた。

兄の権平は、気が小さいくせに、生来ののんき者だ。五日ばかり経(た)ってから、

「のう、お栄。ちかごろ屋敷に竜馬めの姿がみえんが、どこへ泊まりあるいちょるかのう」

といった。

お栄姉は、とっくに竜馬の不在には気づいている。

(脱藩。――)

とおもったが、

「さあ。下の才谷屋にでも、遊びに行っちょるのではありますまいか」

「そうかのう。あの浮かれ者(もん)めが」

やはり気になる。

権平は肥満した体に紋服をつけ、細身の大小をさして、

「ホナ、さがしに行ってみる」

と、城下の親戚を一軒々々訪ねはじめた。

ちかごろ、肥満しすぎたせいか、歩くのがくるしい。まだ四十九というのに、もう老人のような衰えがみえはじめていた。

（わしも長くはあるまい）

と、この温和な長兄はひそかに考えているが、家門の名誉だけはまもらねばならない。それが、家名と家禄をうけついだ惣領権平の義務であった。

まず、権平の妹千鶴がとついでいる高松順蔵家を訪ねて、

「千鶴よォ」

と、入って行った。

「竜馬が来ちょりせんかネヤ」

「まあ兄様」

参っちょりません、と千鶴は答えた。

「では兄様、まさか、脱藩では？」

「しっ」

権平は高松家を出てから、上の才谷屋、下の才谷屋、中沢家、土居家、鎌田家などを訪ねまわったころには、眼がくらみかけていた。

（暑いのう）

手拭をしぼるほど、汗をかいている。三月の末とはいえ、この日は、まるで真夏のような気温だった。

いったん屋敷に帰ると、早暁から山北村の乙女姉さんのもとへ竜馬の消息をききに行っていた源おんちゃんが戻っていた。

「旦那様、ぼんさまは、山北にも姿をみせておられませぬ」

「そうかや」

（いよいよ、国抜けしたか）

権平兄は、ぼう然とした。

竜馬とは二十以上の齢のひらきがあり、一人娘の春猪よりもこの末弟を可愛がっていたから、幼少のころからの竜馬のことが、さまざまと想い出された。

（国抜けなら、もう二度と戻って来んわい）

涙がにじんできた。

（真に真正、国抜けしよるとわかっていたらば、家伝の刀をくれてやったのにのう。あいつの鈍刀では、ゆきさき、心ぼそかろ）

そう思うと、涙がとめどもなく流れ出てきて、どうしようもない。

しばらくして、源おんちゃんが、才谷屋の手代から、妙なことを聞きこんできた。

「なに」

権平兄が、源おんちゃんをみた。

「竜馬が才谷山に登っちょったと？」

「へい、たしかに才谷屋の手代の猪七（いしち）どんが見た、と申しまするがの、旦那さま」

「いつじゃ」

「それが、五日前の二十四日、桜の七分咲きの日じゃと申しまするがの、旦那さま」

才谷山とは、城外にある坂本家の持ち山で、小高い丘といったほうがいい。丘の上まで、細い石段がつづいている。

丘の上に祠（ほこら）がある。坂本家の先祖である明智左馬助の霊と、われいさんという神様とをあわせまつってある。本社は伊予宇和島城下の和霊（われい）明神で、この才谷山の神さまは、そのご分霊である。

郷社ではない。

坂本家一軒だけの神社である。権平や竜馬らよりも数代前の先祖が、家内安全のためにここへ私設の神社をつくったわけだ。

「竜馬は、どんな姿（なり）じゃった」

「へい、ぼんさまは肩にひょうたんをかついでござらしたげで」

「ひょうたんを？」

「へい、旦那さま、こいつは」

源おんちゃんは、考えぶかげな顔つきで、

「あれはまあ、花見でござりましょう」

「わかっちょる、わかっちょる」

権平も、考えこんでいる。

「連れはいたか」

「お一人じゃったそうで」

「しかし花見には遅すぎるのう。才谷山の桜は早咲きじゃキニ、もう散っちょるじゃろうに」

「散っちょりますとも、旦那さま」

「それで何のひょうたんじゃ、い、い、」

「さあ」

源おんちゃんは考えこんだが、権平兄にはすでに推測はついていた。

(いよいよ、竜馬は脱藩したのう)

竜馬は、脱藩をするにあたって、坂本家の祖神に別れを告げに行ったのであろう。

(そうでなくて、あの神ぎらいの竜馬が、才谷山なぞ、詣でるはずがない)

事実、そのとおりである。

竜馬は脱藩の日、才谷山にのぼって祠の中に入り、心ゆくまで酒をのんだ。

——のう、明智左馬助さまよ。

と、心中、祖先の霊をよび、さらにわれいいさんの神霊にもよびかけて、

——人の命はみじかいわい。わしに、なんぞ大仕事をさせてくれんかネヤ。

と、頼んだらしい。

その足で山をおりると、ふもとの農家で潜伏している沢村惣之丞と会った。

沢村惣之丞は、吉村寅太郎とともにすでに脱藩している男である。こんど、竜馬を誘いだすために国もとへ潜入してきたのだ。

「竜馬ァ、旅装をせい」

「いや、ひょうたん一つで結構じゃ」

胴巻の中には、親戚の広光左門という人物から借用した金十両が入っており、腰間にはお栄姉の贈りものの陸奥守吉行がある。が、袴もはいていない。

「着流しかい」

「おお、このほうが人目をごまかしやすい」

「では」

と、夜になって山越えにとりかかった。

脱藩とは、登山のようなものだ。とくにこの土佐のばあいは。

この国の北には、四国山脈の峻嶮（しゅんけん）が、東西に走っている。国外に出るのはすべてその山越えになるが、街道には、関所、人の目があって、民家にさえ、とまれない。村役

人に通報されるからである。

だから、間道を走る。

寝ず、駈けどおしで、伊予境までの山岳渓谷二十余里、山窩のように走らねばならない。自分の健脚だけが頼りなのだ。

「竜馬、まず御嶽の山頂まで登るかい」

と沢村惣之丞はいった。この男は一度脱藩して道に馴れている。

「よかろう」

竜馬は着流しだ。それをうんと尻からげにし、さすがに脚絆にわらじだけは足につけている。

二人は夜にまぎれて、高知城の西北の山に駈けこみ、そのあとはさんたんたるものだった。山腹を這い、藤づるやかずらにつかまって岩壁をつたい、やがて御嶽の頂上に出た。

「沢村、歩けるか」

竜馬は、ときどき、ふりかえってやった。沢村は、足が弱い。

「大丈夫じゃ」

この山道は、このときから半月後に、吉田東洋を暗殺して脱藩した那須、安岡、大石が通った道である。

那須信吾はこのときの脱藩行の様子を、のちに故郷の実兄浜田金治にあて、手紙にして報らせている。

「（前略）大平（を）通り御嶽絶頂に到り候ところ谷々の桜花、高根の残雪と艶を競ひ、咲きみだれ候へども、無雅無心にむかふいそぎ、ゆかりある森村にくだり着き候へども、すべて人家をもたたかず、干飯を嚙り、高瀬村をよぎり、遂に別枝村に到り、徳道ノ関をぬけ、沢渡りより舟渡りして、黄昏前、やうやく久万山のうち岩川に着き、止宿仕り候」

ほぼこれで竜馬の通った道も想像できるはずだが、ただ半月春が浅いだけに雪が深く、これには閉口した。

別枝村という所にきたときに、なだれに遭い、不覚にも二人は谷底にころがり落ちた。

沢村は、足をくじいた。

「お前、わしが背につかまれ」

と、竜馬は沢村をおぶって谷底からはいあがり、おぶったまま、雪の山を、西へ西へと歩いた。

「すまん、すまん」

というちに、沢村は竜馬の背にすがりながら男泣きに泣きだした。

この人物は竜馬とはちがい、学問好きで、数学と英語に長じ、のちに竜馬の配下となり、海援隊士官としてずいぶんと働いた男である。

これは後年のはなしだが、維新直前、沢村は長崎で、酔漢を盗賊と見誤って射ち殺し、あとで面体をしらべてみると、薩摩藩士川端半助という人物であった。沢村は海援隊と薩摩藩との間がまずくなるのをおそれ、薩摩藩側でさえとめたのに、威勢よく腹を切ってしまった。

刀を腹に突きたてながら、かたわらの友人へ笑いかけ、

「男子たるもの、蒲団のうえで呻吟して薬鍋と組みうちするよりも、このほうが往生ぎわがおもしろいぞ」

といった男だ。いま、長崎の西山に、この沢村惣之丞（のち変名して関雄之助）の墓が、さびしく苔むしている。

竜馬の脱藩は、文久二年三月二十四日である。

東洋の暗殺は、その翌月の八日。

ところが、

――下手人は、本町筋一丁目の郷士坂本権平の弟ではあるまいか。

といううわさが、家中の上士のあいだでながれた。

理由の第一は、竜馬が城下きっての剣客だからである。

それに、武市とならんで、土佐郷士の若い連中の兄貴株の存在だから、脱藩した竜馬に疑いがかかるのはもっとももといえた。

――いや、竜馬は、吉田どの暗殺よりも以前に脱藩している。

と弁護する者もいたが、

——なにせ、日はごまかせるさ。脱藩と見せかけて城下で潜伏し、翌月八日にばっさりやったのだろう。

と、見るむきもある。

例の東洋暗殺の当日、殿中での御前講に陪席し、下城後お堀ばたで東洋とわかれた大崎巻蔵は大目付の職にあった。

それだけに、

（おのれ、郷士どもめ）

という憤激が、ひとよりつよい。それに大崎は東洋の門下生でもあった。それだけではない。かれは若年ながら東洋の抜擢によって大目付の重職にのぼった男である。

こういう、東洋引きたての新官僚のことを当時家中では、

「新オコゼ組」

といった。なぜこの出世組がそんな奇妙な異名（いみよう）でよばれるかについてはおもしろい話があるのだが、ここでは本筋から離れるために、説かない。

とにかく、新オコゼ組の連中は、頭目の東洋を失ったことで相当の打撃をうけはしたが、それだけに復讐の念もつよい。

かれらは、毎夜、大目付の大崎巻蔵の屋敷にあつまって、協議した。

「東洋様暗殺の前後に脱藩した者は、坂本竜馬を筆頭として、那須信吾、大石団蔵、安

岡嘉助の四人である。下手人は、おそらくこのあたりであろう」

と目星をつけ、さっそく、下横目（卑職で、いまでいえば刑事）の群れを国外に放って厳探しようとしたが、そのやさきに、大目付大崎巻蔵が、お役御免になってしまった。

武市が黒幕であやつる大政変がおこったのである。

藩庁から、東洋系の上士は、ほとんどお役御免になってしまい、そのあと、かねて東洋によって政務の座からしりぞけられていた家老、門閥家ども（山内下総、桐間蔵人、深尾丹波、小八木五兵衛、五藤内蔵助、山内大学）が、古色蒼然たる頭をならべ、それに加えるに、上士のなかでめずらしく勤王派だった小南五郎右衛門と平井善之丞が、大監察（警察庁長官）の位置についた。

藩主はまだ十七歳である。すべて、黒幕の武市の思うとおりになった。

「これで、一藩勤王が成就する」

と武市はよろこんだが、世の中は、秀才武市の図式どおりには運ばない。

江戸に、

「老公」

がいる。諸侯中の虎といわれた隠居の山内容堂である。これが、大の勤王党ぎらいで、国もとの政変に激怒していた。

文春文庫

竜馬がゆく（二）

定価はカバーに
表示してあります

1998年9月10日　新装版第1刷
1999年2月10日　第3刷

著　者　司馬遼太郎
発行者　新井　信
発行所　株式会社　文藝春秋
東京都千代田区紀尾井町3―23　〒102-8008
TEL　03・3265・1211

落丁、乱丁本は、お手数ですが小社営業部宛お送り下さい。送料小社負担でお取替致します。

印刷・凸版印刷　製本・加藤製本

Printed in Japan
ISBN4-16-710568-3

文春文庫　フィクション

司馬遼太郎　十一番目の志士上・下
司馬遼太郎　世に棲む日日全四冊
司馬遼太郎　酔って候
司馬遼太郎　竜馬がゆく全八冊
司馬遼太郎　功名が辻全四冊
司馬遼太郎　故郷忘じがたく候
司馬遼太郎　幕末
司馬遼太郎　夏草の賦上・下
司馬遼太郎　義経上・下
司馬遼太郎　坂の上の雲全八冊
司馬遼太郎　殉死
司馬遼太郎　翔ぶが如く全十冊
司馬遼太郎　木曜島の夜会

司馬遼太郎　菜の花の沖(一)〜(六)
司馬遼太郎　最後の将軍—徳川慶喜—新装版

文春文庫　ノンフィクション

司馬遼太郎　歴史を紀行する

司馬遼太郎　日本人を考える対談集

司馬遼太郎　余話として

司馬遼太郎　歴史を考える対談集

司馬遼太郎　ロシアについて　北方の原形

司馬遼太郎　手掘り日本史

司馬遼太郎　この国のかたち一～四

司馬遼太郎　八人との対話

司馬遼太郎・陳舜臣　対談中国を考える

澁澤龍彦　快楽主義の哲学

澁澤龍彦・巖谷國士　裸婦の中の裸婦

清水俊二　映画字幕（スーパー）の作り方教えます

清水ちなみ・古屋よし　OL500人委員会　おじさん改造講座

清水ちなみ・古屋よし　OL800人委員会　おじさん改造講座2

清水ちなみ　OL1600人委員会　おじさん改造講座3　常務の野望

清水ちなみ　OL1600人委員会　おじさん改造講座4　独身おじさんの怪

清水ちなみ　おじさん改造講座5　私の会社に明日はない！

清水ちなみ　OL委員会ナセバナル　おじさん改造講座6　会社恐るべし！

志村嘉一郎　土光敏夫　21世紀への遺産

子母澤寛　愛猿記

子母澤寛　幕末奇談

週刊文春編　元祖「ニュース足報」傑作選

週刊文春編　元祖「ニュース足報」決定版

東海林さだお　ショージ君のにっぽん拝見

東海林さだお　ショージ君のぐうたら旅行

東海林さだお　ショージ君のゴキゲン日記

文春文庫　ノンフィクション

文春文庫　ノンフィクション

白石一郎　戦国武将伝　リーダーたちの戦略と決断
白石一郎　水軍の城
白石一郎　江戸人物伝
白石公子　ままならぬ想い
白石公子　ありそでなさそで　女がひとりでいたいと思う夜
城山三郎　野性のひとびと　大倉喜八郎から松永安左衛門まで
城山三郎　アメリカ細密バス旅行
城山三郎　中国・激動の世の生き方
城山三郎　海外とは日本人にとって何か　経済最前線をゆく
城山三郎　猛烈社員を排す
城山三郎　アメリカ生きがいの旅
城山三郎　静かなタフネス10の人生
城山三郎　創意に生きる　——中京財界史

城山三郎　湘南　海光る窓
城山三郎編　「男の生き方」四〇選　上・下
杉原美津子　老いたる父と
杉本苑子　歴史エッセイ人間紀行
杉本苑子　決断のとき　歴史にみる男の岐路
杉本苑子　東京の中の江戸名所図会
鈴木明　「南京大虐殺」のまぼろし
鈴木秀子　死にゆく者からの言葉
スチュアート ヘンリ　はばかりながら「トイレと文化」考
ステーション倶楽部編　駅—JR全線全駅—上・下
関容子　中村勘三郎楽屋ばなし
関容子　役者は勘九郎　中村屋三代